RICK BONADIO
30 anos de música

RICK BONADIO
30 anos de música

com Luiz Cesar Pimentel

Copyright © 2016, Ricardo Bonadio e Luiz Cesar Pinto Ferraz Pimentel

Copyright do projeto © 2016, Editora Pensamento-Cultrix Ltda.

Texto de acordo com as novas regras ortográficas da língua portuguesa.

1ª edição 2016.

Todos os direitos reservados. Nenhuma parte deste livro pode ser reproduzida ou usada de qualquer forma ou por qualquer meio, eletrônico ou mecânico, inclusive fotocópias, gravações ou sistema de armazenamento em banco de dados, sem permissão por escrito, exceto nos casos de trechos curtos citados em resenhas críticas ou artigos de revistas.

A Editora Seoman não se responsabiliza por eventuais mudanças ocorridas nos endereços convencionais ou eletrônicos citados neste livro.

Coordenação editorial: Manoel Lauand

Capa e projeto gráfico: Gabriela Guenther

Editoração eletrônica: Estúdio Sambaqui

Todas as fotos são do arquivo pessoal de Rick Bonadio e foram gentilmente cedidas por ele para este livro.

Caso seja necessário a inclusão de algum crédito, por favor entre em contato conosco que na próxima edição a imagem será creditada corretamente.

DADOS INTERNACIONAIS DE CATALOGAÇÃO NA PUBLICAÇÃO (CIP)
(CÂMARA BRASILEIRA DO LIVRO, SP, BRASIL)

Bonadio, Rick
   Rick Bonadio : 30 anos de música / com Luiz Cesar Pimentel. -- São Paulo :
Seoman, 2016.

ISBN 978-85-5503-036-9

   1. Bonadio, Rick 2. Diretores e produtores musicais - Brasil - Biografia 3. Empresários musicais - Brasil - Biografia 4. Música I. Pimentel, Luiz Cesar. II. Título.

16-07252	CDD-780.78092

Índices para catálogo sistemático:
1. Produtores musicais : Biografia 780.78092

Seoman é um selo editorial da Pensamento-Cultrix.

EDITORA PENSAMENTO-CULTRIX LTDA.

R. Dr. Mário Vicente, 368 – 04270-000 – São Paulo, SP

Fone: (11) 2066-9000 – Fax: (11) 2066-9008

E-mail: atendimento@editoraseoman.com.br

http://www.editoraseoman.com.br

Foi feito o depósito legal.

PREFÁCIO

Se você busca estabilidade e conforto na carreira profissional, não vale a pena arriscar sua sanidade sonhando em trabalhar na indústria da música. A capacidade de conseguir alternar momentos de euforia plena e depressão total talvez seja o primeiro requisito para investir seu tempo e sua energia numa atividade que precisa se reinventar a cada minuto. Na verdade, se você tiver juízo, caia fora dessa encrenca. Trabalhar com música é um belo vício – é coisa de doido.

Depois de 39 anos perambulando nos corredores desse manicômio, cheguei à conclusão de que a grande riqueza que se acumula nesse espaço da existência profissional é a convivência com os loucos que dedicaram suas vidas a garimpar os hits da música popular. Os riscos são enormes, os resultados **absolutamente** intangíveis e não existem certezas. Mas doido é doido. Doido não conhece limites e sonha com mundos impossíveis. Nessas idas e vindas, acabei virando fã e amigo de um dos casos mais graves que conheci nesse sanatório: Rick Bonadio, paulistano da Zona Norte, palmeirense doente e emérito farejador de grandes sucessos.

Desde nossos primeiros contatos, dentro de um furacão chamado Mamonas Assassinas (Rick, como descobridor, produtor e empresário da banda, e eu como diretor de marketing da EMI/Odeon), consegui prever que aquele garoto era uma das figurinhas carimbadas da indústria. Ele estava na cabine de comando de um megassucesso de mais de dois milhões de cópias vendidas e pilotava a nave com uma desenvoltura de veterano. Mais tarde, logo que me nomearam presidente da gravadora, não tive dúvidas de que queria ter Rick Bonadio no meu time. Se lhe faltava quilometragem como executivo, sobrava coragem, audácia e o raro faro para identificar futuros sucessos. Coisa de doido.

Não foram poucas as vezes que peguei um avião para São Paulo, inventando uma agenda qualquer para discutir com Rick, só para ver como ele reagiria diante das emboscadas fatais que se apresentam todos os dias no nosso negócio. Na verdade, queria me contagiar um pouco com seu entusiasmo na forma de gravar com carinho e precisão, promover com agressividade e gastar sem quebrar o caixa.

Numa dessas ocasiões, me falou de uma certa banda chamada Charlie Brown Jr. (nome estranho, pensei). Reparei que os olhos dele faiscavam quando tentava rascunhar a personalidade de um vocalista chamado Chorão (nome estranho, pensei de novo). Gostei mais ainda quando ficou puto da vida quando eu disse que não queria arriscar um CD inteiro com a banda logo de saída: "Ou gravamos o álbum inteiro ou é melhor não fazer nada." Fui embora com a certeza de que teríamos um grande sucesso.

Durante alguns anos, trabalhamos muito, discutimos muito, nos divertimos muito. Os sucessos se sucederam, mas eu sabia que um dia o manicômio da EMI/Odeon e da Virgin ficaria muito pequeno para Rick. Ele já estava enfeitiçado com a autonomia e com a liberdade que sonhava para seus projetos. Queria jogar seus tentáculos de empreendedor em mundos ainda não explorados como a televisão e mídias alternativas. Queria dedicar mais tempo ao seu laboratório de químicas musicais, também conhecido como Estúdio Midas. Em vez de ficar inconformado com seu pedido de demissão, fiquei com inveja. Poucas vezes desejei boa sorte a um colega com tanta sinceridade.

Podem estar certos de que vocês vão conhecer neste livro a trajetória de um grande profissional da indústria da música, um autêntico *hitman*. A única coisa que me deixa meio confuso é falar sobre uma história que não está nem na metade. Tenho certeza de que o melhor de Rick Bonadio ainda está por vir.

Aloysio Reis

(Aloysio Reis é o atual diretor geral da Sony/ATV Music. Foi presidente da EMI do Brasil e vice-presidente de Marketing Internacional da EMI em Londres. É jornalista e compositor, com músicas gravadas por Roberto Carlos, Flávio Venturini, Exaltasamba, Fafá de Belém, Ney Matogrosso, Xuxa, Belo, Byafra.)

AGRADECIMENTOS:

A meus pais, meus filhos e minha esposa. Minha segunda família: Midas Music/Estúdios.

Luiz Cesar Pimentel, Elisa (Aspas e Vírgulas), Mess Santos e toda Movie 3.

Todos os amigos que fizeram parte direta ou indiretamente desses 30 anos de mercado.

Aos amigos que fiz na TV e produtoras.

A Deus por me dar a vida.

A todas as pessoas que me acompanham e mandam seus materiais.

A todos que participaram diretamente deste livro.

A você que leu este livro.

ESSA FOI UMA DAS CENAS MAIS MARCANTES DA MINHA VIDA. ENTRAR EM UM ESTÚDIO PROFISSIONAL, EM 1986, E DAR DE CARA COM UM MICROFONE NEUMANN U87. INCRÍVEL TER A FOTO DO EXATO MOMENTO EM QUE MINHA VIDA MUDOU.

Capítulo 1

A SALA DO RICK BONADIO NO ESTÚDIO MIDAS *é algo bem próximo à Disneylândia da música. As paredes dos quatro metros por três de dimensão do cômodo são ocupadas por 16 discos de ouro, 7 de platina e 2 de diamante. Pelas minhas contas ele possui 31 dessas premiações por vendagem, das mais de 300 bandas com que ele trabalhou em três décadas. Ao lado da mesa de trabalho, cinco estatuetas Grammy conquistadas estão enfileiradas, perto de uma daquelas máquinas* vintage *de balas e chicletes, que formam uma explosão de cores em uma espécie de aquário, em contraste com as paredes escuras do ambiente. Entre ouro, platina e diamante, capas de discos pelos 12 metros quadrados que somam bem uns 15 milhões de cópias em vendas.*

Se você terminou de ler o currículo dele que acabei de montar baseado em números e não lembra de muita coisa, não te culpo. Eu também não lembraria. Quem gosta de números é contador, bancário, matemático etc. Quem gosta de música gosta de histórias.

Além de ser considerado o sexto mamona pelos próprios, ele lançou desde Charlie Brown a NX Zero, passando por Rouge e uma porrada de outros em todos os gêneros possíveis no meio do caminho. Foi presidente de multinacional da música, montou gravadora, estúdio e bandas em programas de TV dos quais foi jurado.

O que você lerá a seguir são histórias por trás dos discos, dos artistas, de sua visão privilegiada, geralmente da mesa de som, e de quem viu os discos de vinil no auge, depois se tornarem objetos de museu e voltarem recentemente como fetiche. Ele viu o CD explodir e a indústria se perder completamente quando a música digital engoliu os formatos.

Foi impossível não escrever cada capítulo deste livro como se fosse uma canção. Nós começamos com longas entrevistas sobre determinados temas onde ele me apresenta a "música". Os papéis então se invertem e eu viro produtor da "canção". Nós a ouvimos juntos e acertamos a mixagem, até decidirmos que estava pronta para a masterização, virando um capítulo fechado.

A ideia veio (posso falar aqui pelos dois) com intenção distante da egolatria, e sim de mostrar como ele fez e aconteceu nessa trajetória, principalmente pela minha constatação de que: 1. Ninguém tem tantas histórias boas como ele no meio; 2. Se existe uma coisa que o brasileiro faz bem porcamente é documentar a própria história artística.

Tanto que nossa primeira conversa sobre o livro foi, literalmente:

"Luiz, recebi um convite para escrever um livro sobre minha trajetória e biografia, e quero testar se dá liga escrevermos juntos", ele me disse ao telefone.

"Eu topo, Rick. Vamos fazer um teste já para valer, de um capítulo, pois mesmo que não dê certo comigo eu quero que esse livro saia de qualquer jeito."

Ou seja, era praticamente uma obrigação (nossa) escrever sobre esse pedaço do cenário nacional por meio das histórias vividas por quem estava no olho do furacão. Para que sirva tanto como divertimento ou, em objetivo mais nobre, como conhecimento, pois ninguém merece passar perrengues se existem outros que passaram por aquela trilha e conhecem as lombadas e buracos.

Tal qual um disco, este livro foi escrito no estúdio. Começamos na casa do Rick, uma, duas vezes, até que ele sugeriu de fazermos uma sessão no Midas, do qual é dono. Foi então que a coisa deslanchou ainda mais e que descobri, de certa forma, que a casa dele é o estúdio.

EU HAVIA DADO UNS 10 PASSOS dentro do estúdio da RCA, na Rua Dona Veridiana, em São Paulo, quando meu olhar foi magneticamente atraído para um Neumann U87. O nome pode soar grego para quem não é da música. Mas para quem é, como eu já era em 1986, toda uma cena poderia ser criada a partir daquele objeto, o microfone mais icônico que já existiu. Dava para projetar os maiores astros em volta daquele microfone, dono de uma estrutura metalizada suportada por uma espécie de estrela ao redor dele. Eram imagens na minha cabeça de fotos de Elvis, Frank Sinatra, Beatles, todo mundo gravando com aquele instrumento tão simples e ao mesmo tempo *cult*.

Olho em volta e perto da mesa de som tem um monte de restos de noitada, seda de pontas de baseados e embalagens com sobras de comida. Percebendo minha curiosidade e certo fascínio, um técnico coloca um pouco de gasolina na fogueira. "É que os Titãs estão usando o estúdio à noite." Não sei se era para ensaio, gravação, mixagem ou algo do gênero, pois era a fase entre *Cabeça Dinossauro* e *Jesus Não Tem Dentes no País dos Banguelas*.

Atualmente, é relativamente fácil de explicar. Mas na época eu tinha 17 para 18 anos e estava vivendo o momento da minha vida. E que manteve o mesmo valor de grandeza até hoje.

Foi naquele instante que minha intuição virou convicção. O exato momento em que bateu 100% de certeza de que era aquilo que eu queria fazer o resto da vida.

Música. Como quer que fosse.

Àquela hora, eu entrava no estúdio como artista. Estranhamente, me senti à vontade no meio de outros artistas, e de produtores, engenheiros de som, técnicos etc.

Éramos Nando e Rick, dois moleques fascinados por *black music* e tecnologia musical, que em breve gravariam o primeiro disco de rap do Brasil, pisando pela primeira vez em um estúdio *top* para gravar o "Rap da Pan", que seria o tema de final de ano da rádio Jovem Pan.

O convite veio do Arnaldo Sacomanni, diretor da rádio, e que já tinha produzido discos para Tim Maia, Rita Lee, Ronnie Von, Fabio Junior e o escambau.

Ele havia gostado da nossa demo tape de quatro músicas, viu potencial criativo na gente e era prático como eu – não perdeu tempo e já encomendou umas vinhetas e o tal "Rap da Pan" para nos testar na prática.

Apesar de tocar piano desde os seis anos, ter tido banda desde os 10 e me virar na guitarra, violão e bateria, pisar num estúdio daqueles era um mundo novo. Não sei ao certo se poderia chamar de mundo, mas certamente era um sentimento novo.

Chegamos pela manhã com bases prontas, teclados e bateria arranjados. O Nando tocou guitarra, eu fiz uns *scratches* e gravei o vocal. "Cem vírgula nove/Jovem Pan/FM estéreo/Panamericana..."

Em umas seis horas tínhamos feito tudo.

O Arnaldo falou que colocaria no ar em breve, meio enigmático.

No dia seguinte, deixei o rádio ligado o dia inteiro. E aí toca a música, no meio da programação. Comecei a chamar minha mãe, repetidamente, mais para ela ouvir, pela primeira vez, uma canção minha sendo tocada em uma rádio, do que para escutar a música propriamente, já que para ela não faria diferença se fosse funk, rap ou bolero.

Entrou em rotação, começou a ser tocada umas quatro, cinco vezes por dia e subiu até ser a mais pedida da rádio, naqueles programas "top-sei-lá-o-quê".

Nesses dois dias, mais do que nos 17 anos anteriores somados, tive a certeza de que viveria daquilo. Pois eu já não estava mais tentando me convencer de que aquele era o caminho. Foram nessas 30 e poucas horas entre pisar no estúdio e escutar a música na rádio que tive certeza do caminho. E desde então busco sentir isso o tempo todo em tudo que faço na música.

Sei que eu consigo muitas vezes. Poderia usar como exemplo os sucessos de Mamonas, Charlie Brown e de vários outros. Mas é no olhar do músico ao entrar no meu estúdio, o Midas, e ao falar comigo, que reconheço isso. Acredito que seja o mesmo olhar que tive ao entrar no estúdio da RCA, naquele 1986. É um olhar que atravessa as pessoas. Imagino que elas estejam olhando o futuro. Como eu naquele dia no qual topei com um microfone Neumann U87.

E essas pessoas são, de certo modo, trazidas para mim. Eu realmente acredito nisso, já que quanto mais exercito esse comando espiritual, esotérico, energético ou o nome que você queira dar, mais esse envolvimento cresce.

Na música, o espiritual comanda o racional. Se você faz o que ele manda, vai dar certo. Pelo menos sempre deu e tem dado certo para mim.

Não tem outro caminho.

A vida é feita de decisões. Que servem basicamente para evitar o que te faz perder tempo.

A realidade sempre vai te alcançar. Quando esta chegou, não me pegou desprevenido.

Nasci numa casa simples na Rua Pedro Doll, em Santana, zona Norte de São Paulo. Até hoje moro na zona norte, meu estúdio fica ali, minha vida é ali. Minha mãe, Maria Apparecida da Silva, era costureira e meu pai, Nelson Bonadio, dono de loja de autopeças.

Eles nunca foram casados. Do namoro, nasci, dia 21 de junho de 1969, um mês antes de o homem pisar na Lua.

Era uma casa térrea, com um quarto de frente, que seria o meu caso eu não tivesse medo de dormir sozinho e compartilhasse todas as noites o quarto da minha mãe, no fundo da casa. Tinha um corredor que dava para uma sala, uma cozinha e o tal quarto da minha mãe.

Morávamos ela, eu e o personagem mais importante da minha história musical, meu tio Flávio. Ele e minha avó materna, Odete Pinto da Silva, moravam num quarto embaixo, uma espécie de porão da casa.

Ele é irmão da minha mãe, mas, caçula raspa do tacho, era apenas 12 anos mais velho que eu e ela cuidava de nós como se fossem dois filhos. Era praticamente meu irmão mais velho, e exercia também uma figura paterna, já que eu via meu pai somente aos finais de semana. Nem todos, pois ele tinha outros filhos, outra família.

Eu tinha cinco anos, mas completa noção de que meu tio Flávio era um gênio musical. Havia um piano de armário na nossa casa, pois antes de ser costureira minha mãe deu aulas de piano. Ele pegava o piano e esmerilhava. Era muito tímido. Então, quando minha mãe saía, eu era o público dele.

Ele gostava de *classic rock* e progressivo, então colocava uns discos do Emerson, Lake & Palmer e ficava acompanhando no piano.

Para completar, ele tocava qualquer instrumento que caísse em suas mãos, principalmente de cordas, como guitarra, baixo e violão. E, para fechar a conta, ele tinha uma banda que ensaiava lá mesmo, na casa da minha mãe.

No fundo de casa tinha um matagal, um declive e, embaixo, a lavanderia. Era lá que o Carne de Vaca ensaiava. O grupo era um *power trio*: o Flávio tocava guitarra e cantava, meu primo Roberto tocava baixo e tinha um baterista que não lembro o nome. Era o meu contato com a música ao vivo.

Aos seis anos, comecei a ter aulas de piano, mas achei que seria mais legal tocar bateria. Pedi uma ao meu pai, que me deu uma canseira, mas acabou arrumando uma Gope. Montei a bateria no meu quarto e ficava correndo do quarto para a sala, onde tinha um daqueles aparelhos de som 3 em 1 (vitrola, toca-fitas e rádio no mesmo módulo), colocava um disco, prestava atenção nas partes da bateria e depois mandava ver no volume, corria para o quarto e tentava acompanhar.

Pode parecer estranho para quem tem hoje tudo à mão. Você coloca fone de ouvido, liga o som no computador, pluga a guitarra, abre uma janela com cifras e manda pau. Mas esse limite tecnológico que eu peguei foi uma bela escola. Primeiro que você precisava escutar as coisas com uma atenção do cacete, já que a qualidade de som na maioria das vezes era terrível – disco chiado e arranhado, rádio que não sintonizava direito nem com Bombril na antena.

Treinei muito o ouvido com essas limitações todas.

Fora o fato de que eu não queria decepcionar o Flávio, de jeito algum. Ele era muito gente boa, um doce, mas sabia que exercia uma figura de professor e sempre me cobrava um aprimoramento no instrumento. O cara tocava pra cacete, e se eu quisesse minimamente acompanhá-lo tinha que treinar igualmente.

Deu certo quando o baterista da banda deles começou a faltar aos ensaios. "O Ricardinho toca no lugar", ele falava. Ricardinho era eu. Ricardo Bonadio. Prazer.

Não teve tempo ruim. Chegou uma hora em que o baterista começou a faltar mais do que ir e eu fui naturalmente incorporado ao grupo. Aos 10 anos, eu já era o encarregado quase oficial de passar o som com eles nos bares do Bixiga, o eterno reduto clássico roqueiro de São Paulo e das bandas de *covers*.

Nos finais de semana, se rolasse um showzinho eu estaria lá. Durante a semana, tinha a coleção de discos dele para eu ouvir e treinar. Uriah Heep, Alice Cooper, Queen, Rush, Emerson, Lake & Palmer, Black Sabbath, Pink Floyd, Led Zeppelin e um disco que escutei tanto que tinha medo de ele chegar um dia e encontrá-lo furado: *Made in Japan*, do Deep Purple. Era só som gringo.

Do outro lado, tinha os discos da minha mãe, um monte de gravações de música clássica, MPB, Roberto Carlos, Gal Costa, Maria Bethânia, Chico Buarque (até hoje não consigo ouvir Chico Buarque de tanto que ela escutava) e dois que por acaso eu me amarrava, Secos e Molhados e Belchior.

Só que na época eu era mesmo fissurado nos artistas internacionais. Ficava ouvindo as histórias do Flavio sobre o famoso show do Alice Cooper em São Paulo, em 1974, a que ele tinha ido e quase sido pisoteado, ou assistindo TV com ele, maravilhado sobre o que falava do Brian May, guitarrista do Queen, quando o grupo aparecia na TV. Até que meu mundo virou de cabeça pra baixo quando um amigo me emprestou o *Live at the Apollo* do James Brown.

Tinha 10 para 11 anos, e aquele funk gordão, raçudo, era tudo o que eu queria escutar e não sabia. Até hoje, volta e meia, ainda escuto no talo, no carro. Meu cachorro se chama Apollo por causa desse disco. "Payback", "You've Got the Power", "Night Train", "I'll Go Crazy"... quem é que pode com um repertório desses?

Comecei a só escutar aquilo, feito um maníaco. Era tudo o que queria ouvir e fazer. Mas aí, aos 12 anos, tive um tremendo corte musical na vida. Meu pai achou que já era hora de eu começar a trabalhar, e me colocou no balcão da loja dele.

Ao mesmo tempo, minha mãe se mudou e fomos morar na Avenida Santa Inês, perto do Horto Florestal, e meu tio foi para a casa da minha avó, no extremo da Zona Norte e não havia nem internet nem celular para manter contato, então nos afastamos completamente.

Rua Doutor Ornelas, 39. O endereço da loja do meu pai. A única coisa que queria era arrumar um jeito de fugir de lá. Um monte de irmãos do primeiro casamento do meu pai me tratando feito pirralho (o que eu realmente era), tentando dialogar com os mecânicos que batiam ponto por lá.

Meu pai tirava de letra. Era um italiano que desembarcou no Brasil aos 11 anos e que aos 12 ficou órfão. O que ele me contava era que o pai dele, meu avô, Primo Bonadio, tinha sido *carabinieri* na Itália e, ao final da Segunda Guerra, fugiu para o Brasil. Mas morreu pouco depois de chegar, de enfarte. Minha avó, Eva, era tão ligada a ele que morreu um mês depois, "de amor", segundo meu pai.

Aos 12 anos, meu pai foi o único dos seis filhos que não foi parar no orfanato. Mesmo tendo dois irmãos mais velhos que ele. Conheceu um dono de posto de gasolina que se afeiçoou a ele e começou a deixá-lo morar lá, em troca de que ele lavasse carros.

Meu pai também ficou amigo dos mecânicos que trabalhavam por lá e começou aos poucos a consertar veículos. A graninha que ganhava foi suficiente para ir tirando os irmãos do orfanato, que foram morar com ele. Ele fez sua vida através do trabalho e do "faça você mesmo" – resumindo, na base da porrada. Isto não é uma crítica, pois era o único caminho que ele conhecia. Então, o que mais ele passaria para o filho?

Mas a grande lição dele era a retidão de caráter. Lembro de clientes, após contas feitas da forma errada, que deixavam quaisquer trocados a mais ou algo assim e de ele anotar tudo e mandar entregar de volta a diferença na oficina do cara ou descontar o valor na próxima compra.

Era uma presença intimidadora também. Forte, daqueles caras que entram num ambiente e, mesmo sem falar uma palavra, todos sacam que é um tipo com o qual não se deve mexer. Mas gente boa. Tanto que me deu um violão, onde comecei a praticar, já que a guitarra Gianinni que o Flávio esquecera em casa não tinha graça sem o amplificador.

Só que não dava tempo. Eu trabalhava na loja pela manhã, estudava à tarde e à noite não sobrava nem tempo nem disposição para praticar música. Mantive em modo mínimo o status das aulas de piano, violão e bateria. Então escutava rádio. Muito.

Tinha o programa do Kid Vinil, na rádio Excelsior, que me conduziu brevemente para o caminho do punk. Como eu tocava alguns instrumentos e comecei a andar com uns punks que queriam formar bandas, eu era uma espécie de virtuoso do gênero. Aquele cara que todo mundo falava: "Toca pra caralho." Mas o meu negócio com o punk descambou para o lado das brigas com os metaleiros. Aí comecei a cansar da repetição de acordes punks e, naturalmente, fui retornando ao fascínio da *black music*.

Andava ouvindo cada vez mais rádios de som *black*, até que peguei emprestado um compacto com a música "Pull Fancy Dancer, Pull" do One Way. Isso pirou geral minha cabeça.

Eu já andava numa fase Chic, Kool & The Gang, meio saturado de rock. Ia ver aquelas apresentações de dança funk, passinhos, nas domingueiras da Zona Norte. O disco caiu como uma bomba atômica em mim. Aqueles caras misturando suingue do funk e fazendo rap virou obsessão.

Convenci um amigo, que mexia com eletrônica, a fazer um potenciômetro de volume e entrei numa onda de fazer *scratches*. O Malcolm McLaren, brancão daquele jeito, estava fazendo "Buffalo Gals" e eu não iria ficar para trás.

Ia para a escola e só prestava atenção nas aulas de inglês, pois queria entender como os caras compunham rap, sacar o texto. Aí, numa dessas (nunca é por acaso, pelo menos na música, mas vá lá), me apresentaram um garoto da minha idade que estava na mesma *vibe*, o Fernando. Ele e eu queríamos fazer rap.

Nós íamos às domingueiras, gravávamos as tradicionais fitinhas, totalmente empolgados. Ele tinha um teclado, eu me virei com o salário da loja para comprar uma bateria eletrônica e: "Vamos fazer?" "Vamos nessa!"

Sabe aquele vídeo que viralizou há uns anos, do "Se eu pudesse dar só uma dica sobre o futuro seria esta: usem o filtro solar!"? Pois bem. Na marra aprendi uma lição que deixo como se eu pudesse dar um só conselho para quem está se aventurando: leia o manual.

Eu li os manuais do teclado, bateria eletrônica, de tudo, de trás pra frente, o caramba, até conseguir fazer os instrumentos penarem para tirar o som que eu queria. Começamos a gravar nossos raps, esquema caseirão mesmo, e fomos para o estúdio gravar quatro músicas.

Cheguei lá e o cara que ia nos gravar era o Renato Figueiredo, um puta baixista, que tinha sido do Tutti Frutti, da Rita Lee. Ficamos mais confiantes quando ele se integrou totalmente e dizia não acreditar no que tirávamos do pequeno arsenal que tínhamos. Gravamos. Fitinha embaixo do braço, então fazer o quê?

Metrô São Bento era o *point* do rap na cidade. Fomos dar as caras, mas nem eu iria acreditar naqueles dois moleques brancos com visual estranho. Até que o próprio Renato, vendo nossa aflição para sermos ouvidos, comentou que o Arnaldo Saccomani tinha um programa na rádio Jovem Pan, domingo à noite, que rolava espaço para umas novidades, o *Toque Geral*.

Não tive dúvida. Até porque não tinha muita opção. Metrô, ônibus, entro no prédio Winston Churchill, na avenida Paulista, um domingo à noite, peço para interfonarem e chamarem o Arnaldo. O porteiro tocou.

– Estão perguntando quem quer falar com ele.

– Diz que é o Rick, respondi com a maior segurança que podia.

– Tá. Ele mandou você subir.

Entro na rádio, chego no estúdio, vou me apresentar e ele: "Pô, cara, pensei que fosse outro Rick. Mas na boa. Fala aí, lindaço."

Contei nossa história em uns 15 segundos e ele mandou eu deixar a demo lá, junto com algum contato, que depois escutaria. Era um baita tiro no escuro. Uns 98% de chance de não dar em nada. Mas deu.

No dia seguinte, minha mãe me chama e diz que "um tal Arnaldo" estava ao telefone querendo falar comigo. Quando lembro da cena, a revivo meio que em câmera lenta, eu pegando aquele telefone branco de disco e colocando na orelha. Nem digo alô direito e ele dispara.

– Pô, meu, achei do cacete o som de vocês. Quem é que escreveu? Quem gravou? Quem fez os arranjos? Como assim vocês mesmos mandaram ver em praticamente tudo? Pô, pinta aí no estúdio Transamérica que quero bater um papo com vocês. Falou, meu.

Modéstia à parte, eu tinha realmente um conhecimento avançado para minha idade e até para a época. Mais uma vez, eu debulhava os manuais. Mudava tudo o que era som no teclado do Nando, programava a bateria eletrônica até que ela esperneasse, fazia arranjos no sequencer, ajeitava mesmo, e tinha conhecimento de harmonia, pois estudava piano erudito há uma década. No mínimo, eu era bem seguro.

Chegamos ao estúdio Transamérica, que já era um baita estúdio, e lembro que o Capital Inicial estava gravando. Era uma época no qual o grupo estava estouradaço com o primeiro disco e ia lançar o *Independência*.

Lembro disso porque o Bozo Barretti, tecladista deles na época, estava na sala junto ao Arnaldo, o produtor Frank Ardanuy, o Romeu Giosa, que produziria nosso primeiro e único disco, e o Marco Antônio Galvão, que era diretor artístico da RGE e Som Livre.

Os caras levantaram nossa bola. E o Arnaldo já nos colocou para jogar.

Como ele era diretor da Jovem Pan, encomendou vinhetas novas para a rádio e o tal "Rap da Pan" que contei antes. A gente ralou. Felizes da vida, afinal, era uma belíssima porta de entrada. Agradamos tanto que ele começou a encomendar mais coisas e fechamos contrato para gravar um disco com a RGE.

Fomos gravar primeiro na casa do Fabio Gasparini, que era guitarrista do Magazine e irmão do Gaspa, baixista do Ira!. Ele tinha um monte de teclados lá, peguei alguns e tirei uns sons que nem ele sabia que eram possíveis. Foi a maior troca de ideias. Depois fomos para o estúdio da gravadora, na Barra Funda. Onze músicas nossas e um *cover* mequetrefe de "Ronda", porque o Arnaldo queria algo mais provocativo, um *standard* da música brasileira no estilo rap. Isso deu merda com a editora, mas o resultado final funcionou. O disco começou a ser superbem falado. E tem realmente um tremendo som, um lance meio Sugar Hill, Grandmaster Flash, essa pegada. Faltava a entrada na mídia, que era o que realmente fazia bombar a música. E nós tínhamos a Jovem Pan e o Arnaldo.

Só que, nesse meio tempo, veio a bomba da demissão do Arnaldo da Pan. A rádio, naquelas loucuras do diretor geral da Pan, o Tutinha, resolveu transformar a programação "hitradio" em "dance radio". O Arnaldo dominava hits, coisas que iam cair no gosto geral, mas o que o Tutinha queria era dar uma glamourizada na programação da Pan com sons mais dançantes. Era época do som que ficou conhecido como "poperô", que é o apelido brasileiro aos famosos versos: "Pump up the jam/Pump it up...". Pump it up = poperô.

Nessa demissão, perdemos uma tremenda entrada. Certamente nossa principal entrada. Ainda havia o Romeu Giosa, que tinha uma ligação forte com a Bandeirantes, que era quem fazia os bailes de rap da Chic Show. Com isso aprendi como um ponto errado no *business* pode acabar com uma carreira.

Começamos uma espécie de turnê de divulgação rodando a Baixada Fluminense, tocando em três, quatro bailes por noite. Só que o esquema ainda era muito precário. Entre um show e outro quase não havia bebida ou alimentação. Era um cara em um Chevette que nos pegava num lugar e depois nos levava para outro.

Como não dava para viver disso, era um braço meu nesse lado artista e o outro trabalhando firme nas produções que o Arnaldo me passava. Era ali que fazia minha graninha.

O primeiro disco de ouro que "ganhei" na vida, de um trabalho que participei e não levei crédito como produtor, foi o *King Kong com o seu King Konguinho*, do Atchim e Espirro – fiz a música, todos os arranjos e produzi o disco. Mas sem ressentimentos. Era o jogo. Estava ganhando mais que créditos, estava ganhando chances.

Nando e eu também fizemos música para a Jane Duboc, daquele disco *Fogo da Paixão*, que fez o maior sucesso. Escrevi e arranjei "Não Esqueço, Não Durmo" para o Placa Luminosa, fiz música para a Célia, *scratch* no disco do Supla, comecei a me virar em tudo e em todas.

Uma bela pós-graduação, depois de gravar o disco. Percebi, após esses trabalhos todos, que meu forte era a inovação. Mais uma vez, pelo fato de tanto fuçar. Mexia em todas as programações, remexia os equipamentos até conhecer o máximo de possibilidades, e ainda hoje, no meu estúdio, se dá pau em algo eu mesmo vou lá mexer, consertar mesa de som, o que for preciso.

Só que no braço artístico da empreitada minha carreira recebeu o maior corte. Logo depois de nossa maior apresentação, na Chic Show, o Nando levou um ultimato em casa. O pai dele era juiz e deu aquela pressão para que ele mudasse do palco para uma carreira acadêmica, o que acabou acontecendo. Ele se tornou procurador. Mas o show que marcou esse ponto da trajetória é bem significativo nessa virada da história.

Eram 7h de uma manhã qualquer em 1989 e nossa apresentação estava seis horas atrasada. A gente estava esperando o que parecia ser uma eternidade e a única coisa que serviram para nós foi um pedaço de bolo, pois era festa de aniversário do evento, o maior baile black que existia no país nos anos 1980.

A Chic Show rolava no salão de festas do Palmeiras, na zona oeste de São Paulo. Já tinha fama como "Discoteca do Luizão", no Butantã, bairro da Zona Sul da cidade. Quando fez parceria com a escola de samba Camisa Verde e Branco e foi para o salão do Palmeiras, os caras colocavam muitas vezes mais do que o dobro da capacidade do local, que era de 12 mil pessoas.

Pudera.

Estreou em 1974 com Jorge Ben, que era tão famoso quanto um Roberto Carlos negro, na época. Todo mundo se apresentou lá, nas noites de sábado – dos brasileiros Tim Maia, Sandra de Sá, Djavan, Gilberto Gil... Aos gringos Kurtis Blow, Betty Wright e, simplesmente, James Brown.

No ano de nossa apresentação, eu era um moleque pobre, pois nasci pobre, mas para 99% do público que estava no baile eu era um *playboy* branquelo, e era considerado como tal.

Tinha de 19 para 20 anos e havíamos acabado de lançar o primeiro disco de rap nacional, o que poderia soar como uma afronta. O Mister Sam tinha lançado um compacto do Black Juniors, com "Mas que Linda Estás". Mas um álbum inteiro, foi apenas o nosso, Rick e Nando.

Tudo o que enxergava naquela madrugada eram as caras de "O que esses moleques brancos pensam que estão fazendo aqui?" E foi um recado bem dado. Eu mesmo comecei a me perguntar o que é que eu estava fazendo ali. Fizemos o show. Para 20 mil pessoas, o maior público para quem já me apresentei.

Naquele momento, soube que meu lugar não era realmente ali, no palco. Apesar de no final termos sido bem aceitos, pois éramos realmente bons no que fazíamos. Minha vida era a música. Sempre foi. Mas não daquele jeito. Então, pendurei as chuteiras como artista.

Foi uma bela contramão que peguei. Quem viveu os anos 1980 sabe bem que aquele era um período fértil para se ganhar grana como artista.

José Sarney caiu de paraquedas na presidência e uma das lambanças que fez foi acabar com a inflação simplesmente congelando os preços. De tudo.

Dá-lhe hiperconsumo. O BRock explodiu nessa onda. Bandas como RPM venderam inacreditáveis dois milhões e meio de discos do *Rádio Pirata ao Vivo*. Ultraje a Rigor estourou nove hits de um disco com 11 músicas. Era bom para todo mundo. Os punks tinham sua cena, os metaleiros, o rap começou a fazer seu exército, e discos infantis da Xuxa e afins vendiam como Coca-Cola gelada no deserto.

Só que o lema da minha vida, olhando em retrospectiva, foi não perder tempo.

Intuitivamente foi o que fiz.

Quando rolou o disco, parei de trabalhar com meu pai, e ele disse que não me daria mais dinheiro.

A reação dele, quando falei que ia trabalhar com música, nem foi a pior que recebi. Quer dizer, nem de longe foi a pior. Ele cortou minha grana, o que estava no direito dele, e foi totalmente direto em sua opinião: "Esse negócio de música é para quem não tem outra opção na vida. É que nem tentar ser jogador de futebol ou ir para o exército. Você tem a loja e estou te dando um caminho. Você é quem sabe." Ou seja: quer fazer isso? Então vai se virar e foda-se, assuma a bronca.

Reação muito pior do que essa foi a de pessoas que te julgam com caretas. Se você é músico ou já tomou decisões assim na vida, sabe bem a careta a que estou me referindo. Começa com a boca distorcendo em sinal de nojo, aí uma sobrancelha só sobe e o rosto fica engruvinhado, tudo isso em câmera lenta. A famosa cara de merda.

Se você vai falar para alguém que tomou uma decisão dessas, é justamente porque está no começo de uma fase muito importante da sua vida e também porque está inseguro e querendo apoio. Aí vem alguém próximo de você, tipo a minha primeira sogra, e faz essa cara – é tudo o que você não precisa naquele momento.

Se você é um pouco mais inseguro e tem um lado vacilão, vai dar vontade de desistir na mesma hora. Quando isso acontecia comigo, ainda mais com pessoas bem próximas, ficava com vontade de chorar.

Pois nesse momento é um fio muito fino que te segura, é quase um nada onde você se apoia. E praticamente todo músico passa por isso.

Já minha mãe me apoiou incondicionalmente em tudo, tanto que peguei 3.200 dólares emprestados com ela. Então reformei uma edícula que ficava no fundo da casa de uma prima: um amigo marceneiro fez uma parede de madeira, coloquei uns carpetes no espaço, comprei uma mesa de som Samsui, um gravador Fostex de oito canais, e fui até um balcão do jornal *Primeira Mão*.

– Quero fazer um anúncio: "Gravo discos, jingles, vinhetas e demo tapes. Tratar no telefone tal".

Voltei para o estúdio e fiquei esperando o telefone tocar.

EU E HELIO LEITE (MEU PARCEIRO DE VIDA), NO SHOW DOS BACKSTREET BOYS, EM 1999.

DEPOIS DE COMEÇAR COM UMA MESA DE SOM E UM GRAVADOR DE OITO CANAIS, CONSEGUI UM UPGRADE MEMORÁVEL (PELO MENOS À ÉPOCA) COM ESSE EQUIPAMENTO DO MEU SEGUNDO ESTÚDIO. FOI NELE QUE GRAVAMOS OS MAMONAS ASSASSINAS E O PRIMEIRO DISCO DO CHARLIE BROWN JR.

Capítulo 2

NÃO DÁ NEM TEMPO DE VOCÊ PENSAR A RESPEITO. É uma falta de ar e imediatamente você acha que está sufocando. Do nada. Começa a suar de maneira estranha, sente seu coração na garganta e, mais difícil de explicar para quem nunca teve, você tem, de alguma forma, certeza de que vai morrer.

Era começo dos anos 1990 e os médicos não tinham nem explicação definida para isso. Fui em um monte. Primeiro falei com minha mãe, claro. "É coração!", ela definiu, tendo certeza de que estava certa, já que meus avós paternos morreram, ainda jovens e subitamente, de ataque cardíaco.

E era o que fazia mais sentido. Eu não fazia mais nada da vida a não ser trabalhar. 16 horas por dia era um lance normal. De domingo a domingo.

O problema é que quando você está numa junção de fatores como a em que eu estava – início de carreira, fazendo o que gosta, tentando que aquilo vire seu sustento, o que te leva a não recusar trabalho algum – você nem percebe que está se acabando de trabalhar.

Crise de pânico. Virou carne de vaca hoje. Mas na época era uma doença de tratamento confuso, para dizer o mínimo, e de diagnóstico incerto. Fiz os tais testes do coração, deu uma alteração de pressão, colesterol um pouco alto, nada incomum para quem tinha vida social ou esportiva zero, peguei uma receita de "calmante" e segue o jogo. Só que essa de "seguir o jogo" sempre te cobra um preço mais para frente. Eu vinha de um ritmo insano e com o tal calmante retornei a um ritmo frenético. O histórico recente tinha sido o seguinte.

Daquele anúncio no *Primeira Mão* a coisa começou a virar. Vieram os primeiros clientes, eu já tinha conhecimento suficiente para gravar qualquer um, dentro do estúdio, e não recusava nada. Então, um foi chamando o outro, virou uma cadeia de indicações no boca a boca.

Para você ter uma ideia, a primeira banda que chegou para gravar lá foi um conjunto daqueles de música regional latina dos Andes, o Vento Sur. Teve uma época em São Paulo em que você não dobrava uma esquina do centro da cidade sem dar de cara com um desses grupos vindos do Peru, Chile ou Bolívia.

Era tudo acústico, aqueles instrumentos andinos, quena, zampoña, charango, bombo, violão. Eu tinha um microfone só, então tinha que ser na raça. Gravamos todo mundo junto, com uma base para servir de guia, depois fui gravando os instrumentos e arranjando – os caras tinham aquelas harmonias vocais típicas. Em um dia, gravamos as bases, no dia seguinte, cobrimos tudo e gravamos vozes, ficou um puta som legal. Entreguei a fita e recebi um cheque. Sem fundo.

Fui atrás dos caras na República, aí disseram que precisavam vender fitas para me pagar – peguei metade da grana em dinheiro vivo e bola pra frente. Nem sei como, mas lembro bem que cobrava U$ 12 por hora de gravação – meu cachê como iniciante no ramo. Mas era um tremendo investimento de conhecimento. Não só de mexer com instrumentos que nunca tinha visto, mas do processo todo. Do atender ao telefone até finalizar a gravação.

Isso foi me dando uma segurança legal. E segurança é tudo quando você está na linha de frente no estúdio. Não importa se é o Mick Jagger querendo gravar o álbum *Tattoo You* ou o Zé das Couves que vai lá para fazer uma fitinha, declamando poesias para a namorada – todo mundo entra no estúdio tremendo na base. Os caras estão pedindo no olhar um apoio. Se você não dá isso a eles, a música pode ser boa, os músicos podem ser fantásticos, mas não vai rolar como deveria. Essa é a figura do produtor, que você só conhece se for um músico pisando no estúdio pela primeira vez.

Após o período Vento Sur, começou uma onda de duplas sertanejas que desaguava no estúdio. Na verdade, eram pretensas duplas sertanejas, pois a imensa maioria era formada por apenas dois caras, sendo que um fazia a primeira e o outro a segunda voz, com músicas compostas no violão, e era apenas isso.

Como eu já tinha cara de pau para falar para os caras que eu fazia todo o resto, funcionava perfeitamente. Era tudo o que eles queriam. Pegava as fitinhas deles, daquelas gravadas em casa no "Rec-Play, valendo", tirava as músicas, escrevia os arranjos, gravava violões, teclados, bateria, colocava umas guitarras quando preciso, então os caras vinham e cantavam e eu entregava a fita pronta para eles. Era geralmente um dia de gravação de voz, dois para gravar as bases e no quarto eu mixava.

Olhando em retrospecto, não tinha como não dar certo. Eu resolvia todos os problemas dos caras. Principalmente os que eles nem sabiam que tinham. É lição empresarial que trago até hoje. O segredo do sucesso pode bem ser condensado nessa lição. Com má vontade, nada acontece. Arregaçando as mangas, tudo sai. Pode não sair perfeitamente algumas vezes, mas ao menos você faz a energia se movimentar e o processo andar. Adiciona um pouco de bom gosto e a coisa dá certo.

Aí o estúdio passou a encher de verdade. Começou a vir um monte de duplas sertanejas. Muito por conta do contato que desenvolvi com o Marcilio Castioni, dono da Itaipu Discos. A Itaipu era uma loja/selo que ficava estrategicamente no bairro da Luz, em São Paulo, perto das estações de trem, rodoviária e metrô.

As duplas chegavam a São Paulo, do interior do Estado ou de Goiás ou de qualquer lugar e já batiam direto nele. Ele sacou meu esquema e começou a mandar esses caras para o estúdio. Meu "cachê" cresceu também, o que me permitiu em mais ou menos um ano alugar a casa da frente, da rua Pedro número 216, e ali montar um estúdio maior.

A sala dos fundos continuou positiva e operante. Mas se o "estudinho" antigo funcionava na base do improviso, o novo já abria com uma mesa de 24 canais, um gravador de oito, sala de gravação de uns dois por três metros, grandinha mesmo, parede de tijolo para dividir e, como o teto era de madeira, chamei um pedreiro e em um final de semana ele e eu enchemos a laje.

Tinha ainda a parede revestida de placas acústicas Sonex, um computador Atari, carpete no chão e uns três módulos de teclado. Virou estúdio de gente grande mesmo. Cada centavo que entrava eu usava de capital de giro para comprar equipamentos. Era tudo na muamba naquela época. Para se conseguir uma guitarra tipo Fender ou você era filho de um paulista quatrocentão abonado ou dava um jeito de viajar e trazer. Imagina para conseguir equipamentos de estúdio, mesas, gravadores e caixas.

Conheci na época um cara que fazia o trânsito das muambas, o Johnny Anglister. Depois virou produtor de estrada dos Mamonas Assassinas e é meu amigo até hoje. Ele ia direto pra Nova York com uma lista de encomendas e sempre que dava eu incluía algo para o estúdio.

A grande aquisição foi um par de caixas Electro Voice, que serviriam de monitores principais dentro do estúdio e tinham o melhor som que eu já havia escutado. Mas aí a encomenda ficou parada na alfândega. Tão perto, tão longe... Até o Johnny ter uma "brilhante" ideia.

– Você tem uma impressora aí, Rick? Pois é na papel que a gente libera – ele falava assim mesmo, quase personagem de quadrinho, "na papel".

Incrivelmente, a ideia de imprimir uma nota fiscal fajuta deu certo e cada pequena conquista dessas era tipo gol de placa.

Com as aquisições e conquistas, tanto de espaço como de equipamentos de ponta, o negócio virou realidade: "Bonadio Produções". Com anúncio ostentação: "Gravo discos, vinhetas, jingles, em 24 canais..." E já me dava ao luxo de escolher os dias dos anúncios, pois tinha preço diferenciado nas propagandas.

Uma porta abre a outra. Em uma dessas, foi aberta outra frente importante na minha vida, que era o mercado gospel.

Um dia apareceu um grupo lá, de música gospel, chamado Resgate. Gravei o primeiro disco deles, que foi o *Vida, Jesus & Rock'n'Roll*. Além de ser o primeiro trabalho que peguei do início ao fim, literalmente, ainda assinei como engenheiro de som. Mas, na real, fiz absolutamente tudo, gravei, mixei, produzi. E a gente se deu bem pra cacete. Eu arrumei um *trigger* para bateria, que é um acessório que conecta a bateria acústica com a eletrônica, joga o som para as caixas de som, e assim você consegue tirar uns timbres diferentes. Os caras piraram, então me apresentaram para a imprensa gospel, que era da rádio Renascer, da Igreja Renascer em Cristo

Fiquei amigo da secretária do pastor Estevam Hernandes, dono da rádio, e ela começou a fazer uma ponte entre o estúdio e os anunciantes da rádio. Ela se chamava Meybe, e a igreja, que era do Estevam e da mulher dele, a bispa Sônia, era uma potência.

Os caras chegavam para anunciar na rádio, "quero fazer um anúncio, como funciona?", e acabavam, geralmente, falando com a Meybe; ela perguntava se eles tinham o áudio ou jingle, normalmente eles não tinham, e ela me indicava. Fiz uma tonelada deles. Numa dessas, gravei o jingle mais famoso da minha vida, que é o da Mack Color. Até hoje toca muito.

"(...) A etiqueta que cola/Até no tubo de cola/Tá no vidro do carro/E na parede da escola." Outro dia estava em um programa de TV e recebi uma mensagem do dono da empresa, Marcos Rossi: "Poxa, Rick, nosso jingle vai fazer 25 anos!"

Até cantei nesse jingle, e quem fez a narração do serviço, telefone de contato, foi o jornalista Ricardo Capriotti, pois ele era evangélico e ligado à igreja. Virou meu amigo, fizemos várias coisas juntos e ele até foi padrinho do meu primeiro casamento. Ele era da rádio Antena 1 e mais frentes se abriram nessa de não recusar trabalho e entregar tudo o que eu prometia.

Claro que fiquei mais esperto com os pagamentos. Comecei a cobrar que nem pedreiro. Os caras me davam metade do combinado ao entrarem em estúdio, e quando eu entregava a fita, me pagavam o restante.

Era uma época de transição do vinil para o CD (digital). Claro que aqui no Brasil a coisa ainda levou um pouco mais de tempo, então o padrão era o método tradicional. E, logo de cara, foi minha primeira decepção com o produto final, o disco de vinil, no caso.

A mixagem era feita em fita. Você precisava tomar certas precauções por conta do padrão mecânico de se escutar música. Vou tentar criar a imagem para você entender melhor e não ficar no "tecniquês". O braço do toca-discos tem uma movimentação não exatamente regular. Ele conduz a agulha percorrendo os sulcos do vinil (de onde sai o som) de uma base estática para círculos cada vez menores, até chegar ao final do lado do disco. Só que nesse processo é preciso regular o som de certo modo, ou os agudos irão estourar quanto mais perto se chega do selo, ao final do lado. Aí entra a figura do responsável pelo "corte".

Para quem não está familiarizado (e obviamente 99,99% da população não está e nem deveria estar), o que chamamos de corte é a fabricação do acetato, que será a matriz por onde serão produzidas (prensadas) todas as cópias daquele disco. O responsável corta os sulcos, por onde a agulha passará, para montar a matriz. É um lance bem técnico, mas espero que a explicação tenha feito sentido.

Mesmo com todo cuidado do mundo, foi minha primeira decepção, pois você mandava um som e voltava outro. Bem diferente do que você tinha ouvido em estúdio. O vinil nunca representou para mim o som de verdade do estúdio. Por isso nunca dei tanto valor para essa discussão de audiófilos de formato versus formato.

Nem mesmo quando comecei a gravar em fita digital DAT (*digital audio tape*), que era uma fitinha pequena que registrava em 44.1 kHz e 16 bits, o que deixava a resolução impecável, meu desapontamento mudou. Você mandava uma DAT, na fábrica transferiam para outra fita, de duas polegadas, para depois fazerem o corte. No fim, dava quase na mesma.

Nessa toada gravei gente legal aos montes, ainda no estúdio menor. Gravei Tião Carreiro e Pardinho, gravei Almir Rogério, aquele do "Fuscão Preto", um bando de artistas já de certo modo estabelecidos.

Mesmo na época mais complicada, quando o Fernando Collor foi eleito presidente, colocou a Zélia Cardoso de Mello para tocar a economia e congelaram a caderneta de poupança, deixando o país inteiro pobre da noite para o dia, não parei. Gravava fiado, mas uma parte dos artistas, principalmente os de gospel, tinha dinheiro vivo, pois não guardava seu dinheiro na poupança – provavelmente recursos da igreja, eu sei. O segredo continuava sendo não parar e fazer de tudo para o cliente sair dali feliz. Se o cara estava com dificuldade para gravar um solo de guitarra, eu ia lá e tentava até que ficasse bom.

Até que o dinheiro começou gradativamente a voltar. Aí deu para contratar uma recepcionista, e chamei um amigo, o Rodrigo Castanho, para tomar conta do estúdio menor – ele se tornou produto grande hoje, muito legal. Mas a pegada era a mesma. Muito músico, como as duplas sertanejas, chegava manguaçado ao estúdio. Não tinha tempo ruim. Virei o rei do café. Fazia um bem forte, mandava o cara engolir uma talagada e gravava uma. Outra talagada, outra música.

Já estava em processo outra filosofia, que mantenho até hoje, que é a de não perder tempo no estúdio. Isso peguei do maestro

Djalma Wolff, que era tecladista de um grupo chamado Dimensão 5 e hoje é maestro do Raul Gil.

O cara tocava muito, saía tocando em terças, metia uns arranjos de cordas no teclado e me pilhava: "Está gravando, né, Ricardinho? Não vai perder isso aí!" Em uma tarde no estúdio, o cara cobria arranjos de dois discos. Eu demorava por volta de dois dias para fazer a mesma coisa em um disco. Pensei: alguma coisa está errada. E não é com ele.

Comecei a me pilhar mais e a todo mundo no estúdio. Olhando em retrospectiva, teve ano lá que fiz uns 40 discos, o que é um número absurdo. E quando uso o verbo *fazer*, isso compreende o processo todo, do primeiro passo dos caras ali dentro até a entrega da fita master.

Imagine só. Eu colocava o anúncio no jornal, o cara ligava, eu negociava, o cara vinha gravar, eu montava o estúdio, microfonava (comecei a ler muitas revistas importadas de produção) e ajeitava as distâncias que cada microfone tinha de estar. Como tinha gente de todos os gêneros, os instrumentos eram dos mais variados, daí entrava uma parte em que eu precisava dirigir o grupo em estúdio – se você apertou o Rec de gravação, inevitavelmente vai bater nervosismo –, mixava, e nessa época começaram a pintar as primeiras noções de masterização, como equalizar a saída do áudio da mesa para não distorcer no corte do vinil. Também precisava conversar e negociar com os caras fora do estúdio e com gravadoras, até entregar o produto pronto para o artista.

Fora as coisas que apareciam durante as gravações. E toda gravação tinha sua peculiaridade.

Para gravar duplas sertanejas, percebi que, ao colocar um microfone ao lado do outro, o vocal de um vazava no do parceiro. Aí tive a ideia óbvia (que é usada por todo mundo hoje): coloquei um de frente para o outro. Os caras adoraram, pois quem fazia a segunda voz, principalmente, tinha uma leitura labial instantânea do cantor da primeira voz, o que facilitava o encaixe das vozes.

Outro exemplo, são os truques que cada músico tem para marcar seu estilo. Quando fui gravar uma dupla sertaneja de peso (prefiro até não revelar os nomes, pois a história é engraçada, os caras são bons e não quero que fique a impressão de que estou ridicularizando-os), aconteceu uma dessas. No monitor, comecei a perceber que do nada a segunda voz dava uma sumida. Tentamos de novo, mudei o microfone, cabeamento, e nada. Toda vez era a mesma coisa. Aí pedi para cantarem e acompanhei ao lado deles. Quando vi, o cara fazia o vibrato, que é um tipo de oscilação na nota, uma espécie de trinado, na própria perna. Ele soltava a voz na nota mais longa e chacoalhava a perna para fazer o vibrato. Não ia sair bom na gravação, mas dava-se um jeito.

Eu sempre participava das bandas também. E não estou reclamando disso. Se alguém precisava de guitarra, baixo, violão, teclado, bateria, eu ia lá e gravava. Por gosto e também para agilizar. Essa coisa de ficar gastando tempo com a morte da bezerra em estúdio não é para mim, na boa. Até hoje, se vou mixar uma música, gasto uma hora. Duas, no máximo.

No meio desse bolo todo você vai se enganando. Ficar em média das 9 horas da manhã até as 2 horas da madrugada no estúdio era meu meio de vida e substituto da diversão também, afinal, não deixava de ser uma espécie de lazer.

Não tomava sol, comecei a me alimentar mal demais, folga de fato era zero, e assim comecei a ficar doente. Bastante doente.

Começou com uma espécie de insônia. Meu corpo simplesmente começou a rejeitar o sono. Aí aproveitava esse tempo "ocioso" e gravava em outros estúdios, outros *jobs*, outras coisas. Só que é como deixar um transistor ligado sem parar. Uma hora vai queimar.

A queima começou um dia, quando estava dirigindo. A primeira crise do pânico, que descrevi no começo do capítulo. Depois de passar pela junta médica e me receitarem um calmante que nem lembro o nome, similar ao Lexotan, voltei à toda.

Só que estava fragilizado. Fisicamente e, principalmente, emocionalmente. Fui me dar conta depois de uns poucos meses, quando o tal calmante começou a perder o efeito. Aí fazia o quê? Mandava dois para dentro.

Um dia fui gravar no Estúdio Guidon, no bairro do Cambuci. Era para gravar teclados para um disco. No caminho, comecei a me sentir realmente mal. Tomei os dois comprimidos e nada de fazerem efeito. Não conseguia respirar. Se você já ficou nesse estado ofegante, puxando o ar e ele não vindo, sabe como é uma tortura. Vi um bar ao lado do estúdio e pedi uma cerveja. Fiquei mole, lesado, mas recobrei ao menos a respiração e fui gravar.

Fiz o serviço, voltei para casa e desmaiei no sofá. Acordei e tentei lembrar da noite anterior. Nada. *Blackout* total. Não lembrava o que havia gravado, como tinha tocado, como havia chegado em casa. Zero. Só que eram duas vozes na minha cabeça – uma dizia que tinha sido uma idiotice a mistura explosiva; a outra voz me dizia que eu havia realizado o trabalho.

Na pegada em que eu estava era muito mais fácil dar ouvido para a segunda voz, e isso virou um hábito. Se estava mal, a receita era uma ou duas cervejas com dose dupla de calmante e vamos em frente.

Mais uma vez, a mistura começou a perder o efeito mascarante e fui parar no psiquiatra. Pois a essa altura você acha que é o espertão, que está enganando todo mundo, mas pode ter certeza de que todos mais próximos a você já sacaram. Ganhei uma receita de ansiolítico e antidepressivo (mesmo eu não tendo comportamento depressivo) e uma sombra que perdura até hoje.

Quem passa por um desses processos de esgotamento, pânico, ou qualquer transtorno mental, sabe que é ruim. Eu garanto: é ruim para cacete. Tudo isso faz com que você se sinta um merda. Ou, para ser mais polido, faz com que você enxergue de frente sua própria fragilidade. Vamos falar a real: não é legal você se ver tão frágil assim, aos 20 anos, quando está no momento profissional mais pauleira, que é o de construir um caminho. Mas, vendo pelo lado positivo, esse alerta que você carrega consigo pelo resto da vida é um bom termômetro. Uma terceira voz, que faz com que você se conheça melhor e que, volta e meia, emite um sinal: "Você tem um limite, lembre-se disso." Dessa merda toda, porém, dá para extrair coisas boas para a sua vida. Traz um amadurecimento instantâneo. Ninguém que conheço, que tenha passado por um processo de pânico, depressão ou algo do tipo, permaneceu a mesma pessoa após se recuperar. A lição é dura. Mas, depois, você se torna uma pessoa melhor.

Tudo isso levou uns dois anos. Na mesma época, apareceram no estúdio os moleques do Utopia para gravar. Eles ficariam conhecidos como Os Mamonas Assassinas.

O QUE OS MAMONAS ERAM NO PALCO, NOS PROGRAMAS DE TV, TAMBÉM ERAM NA VIDA REAL. ESTE É O MOMENTO DA ASSINATURA DO CONTRATO COM A EMI, COM JOÃO AUGUSTO, PRIMEIRO E ÚNICO CONTRATO DA HISTÓRIA DA BANDA.

Capítulo 3

CHEGAVA GENTE DE TODO TIPO AO ESTÚDIO. Uma hora batiam à porta uma dupla de sertanejos de chapelão e botas de caubói; cinco minutos depois, uma molecada toda de preto e cabelos compridos; ou um casal hippie, com violões às mãos. Claro que você vai apagando alguns fatos da memória diante de tanta rotatividade. Mas me lembro bem quando apareceram por lá o Julio, o Bento e o Dinho, se apresentando como membros da banda Utopia e querendo gravar um disco.

Os caras já eram divertidos só de começarem a falar. Sabe aquele pessoal gente fina, que dá vontade de ficar ao lado, trocando ideia? Era essa a primeira impressão, que se mostrou verdadeira dali em diante. Aí marcamos de gravar, montei tudo e a música, explicitamente, não tinha nada a ver com as personalidades deles.

Deixe eu apresentá-los formalmente, só para dar nome aos personagens. O Utopia tinha o Sergio na bateria e o irmão dele, Samuel, no baixo, o Bento na guitarra, o Julio no teclado e o Dinho no vocal.

Eles começaram moleques, fazendo *covers* das bandas brasileiras dos anos 1980, como Ultraje a Rigor, Barão Vermelho, Titãs e Capital Inicial. Então era natural que seguissem a mesma fórmula quando foram fazer o próprio som. O primeiro sinal de leve escracho da banda foi na contratação do Dinho como vocalista. Eles estavam tocando em um bar, aqueles shows de *covers*, e alguém do público pediu para que tocassem Guns N' Roses. Ninguém sabia a letra, e o Dinho, que estava na plateia, subiu, cantou, mesmo sem saber a letra em inglês, fez umas palhaçadas e entrou para o grupo.

Só que continuaram fazendo um som na linha do Capital Inicial, Titãs. Tinha umas músicas tristes, nada a ver. Eles chegavam, a gente conversava, era uma coisa; eles entravam no estúdio, começavam a tocar, era uma coisa totalmente inversa. Aí eu falava com eles e a resposta era sempre: "Não, cara, o rock dos anos 80 vai voltar!"

Se tem algo que é lei na música, é que as coisas não voltam. Não adianta vir com essa de "mas e o *revival* dos anos XX?" Não voltam. O que volta é repertório bom, dos caras que fizeram AQUELE som NAQUELA época. Ponto.

Voltemos ao Utopia.

Gravamos super-rápido, pra variar. Foi algo como uma semana para gravar as bases, voz e mixar. O disco não deu em nada. Mas fiquei impressionado com o Dinho como vocalista. Ele era muito afinado, cantava bem demais e acabamos ficando superamigos.

Eu continuava a gravar meus *jingles* e vinhetas, e comecei a chamá-lo para cantar neles. Ele era esperto e viu um bom caminho ali, perguntou se eu daria uma porcentagem para ele se arrumasse uns anunciantes ou bandas que quisessem gravar, respondi que sim, claro, e montamos um esquema.

Assim, ele vivia lá no estúdio. Era o mais carismático do grupo, claramente. E, por isso, era uma espécie de porta-voz. O Bento era o braço direito dele – um japonês que tocava guitarra, fazia uns puta *riffs*, meio metaleiro, era o cabeça musical da parada. O Julio, apesar de não tocar muito bem teclado, era aquele lado mais sério, pé no chão, e também parceiro do Dinho nas letras. Samuel era engraçado demais. E o irmão dele, o Sergio, era a figura, vamos dizer, rebelde da gangue, o cara que dava um contraponto, mais *badass*.

Em uma dessas indicações de clientes do Dinho, comecei a gravar uma dupla sertaneja de Guarulhos, cidade colada a São Paulo, já que os caras do Utopia eram de lá. Eles se chamavam Eli e Campelo. Até coloquei o Sergio para tocar bateria na gravação, todo mundo saía ganhando.

Quando a gente foi gravar as vozes, teve um dia em que um integrante da dupla estava doente, e ele ligou desmarcando. Encerrei o dia e o Dinho, que estava por lá, perguntou se poderia usar o estúdio para gravar umas brincadeiras para tocar em um churrasco de amigos. Como não era nada sério, falei que tudo bem, deixei eles com o Rodrigo Castanho como técnico de gravação e fui para casa.

No dia seguinte, cheguei cedo e o Rodrigo estava dormindo no sofá. Eu o acordei.

– Meu, quase virei a noite gravando com os caras. Você não faz ideia. Eu ri pra caralho. Ouve essas paradas que eles fizeram.

E colocou a fitinha que eles haviam gravado, com duas músicas: "Pelados em Santos" e "Robocop Gay".

Bom para cacete. Mas ainda era cru. Tinha todo o lado divertido, mas faltava uma liga harmônica, melodiosa ou o nome que quiser dar, pois tinham gravado uma base bem bregona, na pegada de um Reginaldo Rossi. Sabe quando fica aquela coisa em que você vê potencial mas tem algo faltando?

Como eles eram bons músicos, pintou o estalo e chamei os caras para conversar e propor.

"Se vocês misturarem essas letras e arranjos bregas com rock eu arrumo uma gravadora para vocês", disse. Não tinha gravadora nenhuma na manga. Mas tudo me dizia que a mistura daria jogo.

Lembro direitinho da reunião. Pois teve todo um clima formal e foi na cozinha do estúdio. Uma daquelas bem anos 1950, com móveis pesadões, armários maciços, azulejos antigos, filtro de barro.

Os caras ficaram: "Será, Rick?", pois eles tinham ainda essa ideia de virarem como um grupo mais... digamos... sério. Mais próximo dos grupos que eles admiravam, da safra do BRock. Só que eles também não tinham nada a perder, já que o disco do Utopia havia vendido, no máximo, umas 100 cópias.

Era uma daquelas ideias que você tem e não te largam. Eu sabia que daria liga, só não sabia exatamente como. Tanto que foi o primeiro grupo que coloquei no estúdio e gravei como investimento pessoal. Não era o lance comercial que havia sido a tônica até então, mas ali entrava o componente do *feeling*, de que a química deles, como músicos e compositores escrachados, mais a experiência que eu tinha adquirido de gravar todos os gêneros, de A a Z, daria liga. Fomos gravar uma demo tape.

Em "Pelados em Santos" usei aquele naipe de metais brega, ficou um clima meio mariachi. Para "Robocop Gay" deixamos uma coisa meio rock & roll, do próprio Utopia, só que mais *vintage*, com umas quebras crooner-tcha-tcha-tcha e uma marimba que toquei. Gravamos também mais duas: "Jumento Celestino", em pegada de forró/rock, e "O Vira", no estilo Roberto Leal heavy metal.

Ficou do caralho a demo. Na hora lembrei do Arnaldo Saccomani e liguei para ele. Estava trabalhando mais focado em dois artistas na época – eles e uma vocal dance, Dalva, que cantava pra caramba e era um projeto meu, de duo comigo como DJ. Seria um lance tal qual o David Guetta faz com vocalistas. Chamei-o para ouvir os dois.

Depois de uns dias, ele apareceu no estúdio e adorou os dois. Levou as fitas e ficamos esperando. No dia seguinte, ele me liga dizendo que havia mostrado para o João Augusto Ramos, que era diretor artístico da EMI, e que ele tinha adorado e queria conversar com o grupo. Todo mundo ficou empolgadaço.

Após mais ou menos uma semana, o João, que morava no Rio, veio para São Paulo e o encontramos. Ele já começou todo desconfiado – ele é um cara todo desconfiado – querendo saber se o grupo era para valer, se não havia sido eu que tinha feito tudo e colocado cinco caras para dar uma ideia de grupo, em um lance meio *fake*.

Só que mandamos a real na conversa, ele viu que era para valer e já quis assinar um pré-contrato. Começou um papo estranho de "precisamos arrumar um empresário para o grupo, um Cacá Prates da vida". Eu nunca mais ouvi falar no Cacá Prates, mas não esqueço esse nome. Caramba, eu é que estava formatando a parada como empresário, e o empresário não seria eu?

Falei com os cinco integrantes, abertamente. E eles: "Pô, claro, Rick. Você é o empresário. Não tem essa." Fechamos.

Ainda assim, o João Augusto queria ver o grupo ao vivo. Quando digo que ele é um cara todo desconfiado, não é à toa.

Como eles costumavam tocar em um lugar chamado Lua Nua, em Guarulhos, marcamos um encontro lá. Eles chamaram todos os amigos, lotou a casa, maior sucesso. Já rolavam aquelas brincadeiras entre eles durante os shows – uma hora, todo mundo entrava pelado cobrindo o pênis com um disco de vinil, e o Bento cobria o dele com um CD. Esse tipo de humor virou a assinatura deles.

O João pirou também. E levou o filho dele, o Rafael Ramos, para o show. Neste ponto, preciso fazer uma correção sobre a história dos Mamonas, que de tanto contarem de maneira torta virou praticamente uma verdade na biografia deles. Só que não é.

O João, ou alguém em seu nome, contou uma versão de que o filho dele, Rafael, levou a fita dos Mamonas ao colégio, colocou para os amigos ouvirem, virou febre e que "obrigou" o pai a contratá-los. E depois deu no que deu.

Não foi isso. O Rafael realmente foi ao show, pirou, deu a maior força, mas não teve esse lance de levar fita ao colégio e isso ser decisivo. Qualquer moleque iria pirar no som. Desde o primeiro momento em que encontramos a gravadora, por meio do diretor artístico, foi proposto um pré-contrato. Tudo foi encaminhado a partir daí.

Anos depois, o Aloisio Reis, que foi meu chefe e era vice-presidente de marketing da EMI na época, disse que o João colocou o filho na história porque o lance todo dos Mamonas era tão bizarro e ele, João, era tão hesitante, que se desse errado iriam cair matando em cima dele. Ele, afinal de contas, como diretor artístico, tinha o trabalho de dizer o que era bom e o que não era para a gravadora. Com essa versão, ele dividiu a responsabilidade com os amigos do Rafael.

No fim, nessa apresentação em Guarulhos, ele próprio teve convicção de que iria dar certo. Nem bem acabou o show e ele já queria gravá-los. O grupo não tinha repertório completo para um disco ainda, mas claro que mentiu que tinha.

Eu andava fascinado com o som do *Blood Sugar Sex Magik*, quinto álbum de estúdio da banda Red Hot Chili Peppers. Estava lendo tudo sobre a gravação do disco, que havia sido em uma casa (mal-assombrada, dizem), estudando o posicionamento dos instrumentos nos cômodos. Fomos por essa linha, procurando inovar, para tirar o máximo do grupo.

Como o vocal de "Give It Away" era legal demais e dava para sacar que o Anthony Kiedis havia cantado com a boca grudada ao microfone, começamos a fazer o mesmo com o Dinho em "1406". Tirava o antipufe do microfone e muitas vezes ele quase o engolia. Como era bem afinado, dosava na medida.

Enquanto a gente estava gravando algo no estúdio, ficavam o Julio e o Dinho escrevendo mais coisas na outra sala ou na cozinha. Só que do que eles escreviam dava para aproveitar apenas metade, pois chegava em um nível de putaria que não iria rolar nunca – rádio nenhuma iria tocar.

Além deles, comecei a arregimentar músicos para participarem também. O Leandro Lehart, que é do Art Popular, era meu amigo e veio tocar cavaco. O acordeom de "Jumento Celestino" quem gravou foi o Cesar do Acordeom, que tocava em umas produções minhas e também com a Elba Ramalho. E tudo aquilo de diversidade de gêneros, que eu já havia gravado antes no estúdio, ajudou demais nos arranjos das músicas.

Pensa no repertório. "Bois Don't Cry" era música brega, "Jumento Celestino" era forró, "Uma Arlinda Mulher", sertanejo, "Onon Onon" era reggae, "Débil Metal", heavy metal, "Lá Vem o

Alemão" era pagode, fora "O Vira", "Pelados...", "Robocop Gay". Não tinha gênero proibido. E que não fosse desvirtuado.

Cada música ganhou a própria assinatura. Fomos gravando. Só que eu não podia parar de gravar as outras coisas no estúdio, pois, apesar de a EMI ter dado um adiantamento após a assinatura do contrato, o valor não iria cobrir todas as despesas do estúdio caso eu ficasse exclusivamente trabalhando com os Mamonas.

Fui gravar um grupo de forró e o Dinho estava no estúdio. O sanfoneiro se chamava Brezequeba. Toda hora em que eu ia dar uma instrução para ele, o Dinho virava para o lado e ria, tipo criança, e repetia: "Brezequeba". Passou.

Na hora em que fomos gravar "Uma Arlinda Mulher", combinamos que eu baixaria gradativamente o som do estúdio (fade) enquanto ele improvisaria um discurso, qualquer coisa que lhe viesse à cabeça.

Ele começou a falar que havia acabado de peidar, feito gargarejo e resolveu contar, em um estilo Didi Mocó, que naquele instante a canção estava terminando porque eu estaria baixando o volume. Em vez de falar meu nome, ele resolveu citar o Brezequeba. Só que na hora saiu Creuzebek.

"(...) Logo agora que você estava quase entendendo/
o que eu estou falando/
a canção está acabando e o Creuzebek está baixando ali o volume/
e você não entende nada mesmo/
por que quando você estiver em sua casa nesse momento/
a música vai estar baixinha..."
Virei o Creuzebek dali em diante.

Quando você escutar, no começo de "Pelados em Santos": "Atenção, Creuzebek. Ao top de quatro Já Vai: Já, Já, Já, Já Vai", ao menos agora sabe de onde vem a história.

O show no Lua Nua foi em abril de 1995. A gravação aconteceu em maio. E o disco foi lançado em junho de 95.

O 'toque de Midas' de um jovem produtor pop

Criticado por uma suposta 'pasteurização' do som, Rick Bonadio impõe sua grife e é uma fábrica de sucessos

Bernardo Araujo

CHARLIE BROWN JR: Fãs radicais acusam o produtor de ter descaracterizado o som do grupo

Midas era aquele rei mitológico que, segundo a lenda, transformava em ouro tudo o que tocava. No distante bairro paulistano de Santana — mais longínquo ainda depois das enchentes da última semana — um prédio moderno e discreto tem o nome do monarca: Estúdio Midas. É lá que trabalha o produtor Rick Bonadio, de 35 anos. Não seria um nome algo pretensioso demais? Será que tudo em que ele coloca as mãos vira disco de ouro? O currículo de Bonadio, em sua maior parte, dá razão a ele: por suas mãos, passaram artistas do pop-rock brasileiro recente como Mamonas Assassinas, Rouge, Charlie Brown Jr. e traí.

— Acabei de produzir o novo disco do Rouge, chama-se "1.001 noites" — anuncia, animado. — As meninas são muito talentosas. Sei que temos que tentar fugir da mesmice, afinal é o quarto disco e cada é um projeto que, diziam, não iria a lugar nenhum.

Banda foi formada em programa de televisão

O esquema como a banda — e seu correspondente masculino, o Br'oz — foi formada não incomoda o produtor: um programa de televisão em que candidatos eram testados à exaustão, até que, de milhares, sobrassem cinco.

— Muitos artistas se formam assim, só que nem sempre com as câmeras acompanhando-os — diz. — O importante é escolher um bom repertório e lançar um bom disco.

Por ter lançado bandas de rock "revoltadas" como Charlie Brown Jr. e CPM 22, volta e meia Bonadio é acusado de promover a venda da alma dos tais ao diabo: seu repertório seria mais radical e menos radiofônico e teria sido pasteurizado rumo às rádios por ele.

— Isso é aquele papo do cara que gostava de uma banda e fica furioso quando descobre que a irmã mais nova dele, anos depois, também curte — diz, rindo. — Meu papel, como produtor, é descobrir o caminho que uma banda deve seguir. O Charlie Brown, por exemplo, tinha músicas muito mais pesadas, mas também tinha "O coro vai comê!", um ska que foi grande sucesso e acabou definindo o estilo que a banda seguiria.

Os Mamonas Assassinas, um dos primeiros sucessos produzidos por ele, tiveram uma história parecida: eram uma banda de rock "séria", chamada Utopia, em que um dia o cantor Dinho apareceu com as engraçadinhas: "Pelados em Santos" e "Robocop gay". Bonadio apresentou as canções a João Augusto, então presidente da EMI-Odeon, que logo os contratou. Segundo ele, o executivo enxergou o potencial do quinteto antes mesmo de ser alertado pelo filho, Rafael Ramos (hoje também produtor de sucesso). A descoberta dos Mamonas, em geral, é creditada a Rafael.

— O João, que não é bobo, me ligou no dia seguinte àquele em que enviei a gravação a ele e disse que queria os Mamonas — diz. — Não daria nem tempo de Rafael ouvir o disco e convencer o pai.

Hoje Bonadio comanda o selo Arsenal, ligado à gravadora multinacional Sony/BMG.

— Tudo o que desenvolvo aqui é para a Sony, mas isso não me impede de produzir artistas de outras companhias — explica. — O Leela, por exemplo, me enviou um CD pelo correio. Gostei, produzi e ele foi lançado pela EMI. Agora ele está aí, no rádio.

Ele acha que o futuro das grandes gravadoras é esse.

— Vai acontecer aqui o que já é regra nos EUA — prevê. — Os pequenos selos funcionam como uma espécie de departamento artístico, descobrindo e desenvolvendo artistas, que são lançados com o apoio das multinacionais. Acho que a parte delas será cada vez mais a logística, da fabricação, promoção e marketing dos CDs, e menos a artística. Hoje em dia, as gravadoras só servem para montar coletâneas e lançar discos de regravações.

Apesar de ver a vida melhor no futuro, ele ainda lamenta os problemas da indústria.

— As mudanças são boas, como o aproveitamento de bons profissionais, que haviam perdido seus empregos nas grandes gravadoras, em companhias menores mas igualmente sérias — diz. Mas as vendas de discos ainda são muito fracas, a pirataria causa muito prejuízo. O DVD está sendo visto como uma grande esperança, mas é apenas um paliativo. A imagem não concorre com a música, ela pode ser oferecida apenas como um bônus.

Mesmo assim, ele vê com bons olhos a nova geração de executivos das gravadoras.

— Nos anos 80 e 90, os diretores das companhias eram uns caras com o ego inflado, que achavam que tinham inventado os artistas — lembra. — Naquela época havia muita gente boa começando na música, não era essa crise de criatividade que é hoje. A geração atual procura bons artistas e boas músicas para lançar. E, claro, pensa nas vendas.

Ele é o primeiro a admitir que nem todas as decisões das companhias são artísticas — o que lhe rende críticas — mas não se esquece do lado business da música.

— É claro, por exemplo, que o Iral não precisava lançar um "Acústico MTV" quatro anos depois de um disco ao vivo — diz, ressalvando que a banda fez um esforço para repetir o mínimo de canções. — A gravadora precisa vender discos, e no fim das contas o "Acústico" foi ótimo também para a banda, que foi apresentada a uma nova geração. ∎

MAMONAS ASSASSINAS: Bonadio viu o potencial comercial nas canções escrachadas

RICK BONADIO: com apenas 35 anos, um currículo impressionante de sucesso no pop-rock brasileiro recente

▶ Sucessos e fracassos

- **MAMONAS ASSASSINAS:** Lançado em 1995, ultrapassou o milhão de cópias e estabeleceu Bonadio na indústria.
- **CHARLIE BROWN JR.:** Bonadio produziu o disco de estréia do grupo, "Transpiração continua prolongada", de 1997.
- **CPM 22:** Descoberta do produtor.
- **ROUGE:** Quatro discos e milhões de cópias vendidas desde 2001.
- **LAGOA:** Veteranos do rock paulista, foram recebidos como clone dos Mamonas, quando na verdade eram uma influência deles.
- **TOASTER ODIE:** Cantor jamaicano lançado em 1996. Pouca gente ficou sabendo.
- **RODOLFO E ET:** Dupla de comediantes não funcionou em CD, em 1999.
- **MÁRIO VELOSO:** Disco do galã, de 2001, provou-se uma aposta fracassada.

ROUGE: grupo fabricado em programa de TV chega ao quarto disco pelas mãos do produtor

A MATÉRIA QUE FOI RESPONSÁVEL PELO NOME DO MEU ESTÚDIO.

Capítulo 4

O CARA QUE NASCEU PARA FAZER SUCESSO é diferente. Esse cara tem uma estrela. É o que posso falar sobre a pergunta que mais ouço na vida, que é "Como acontece o sucesso na música?"

Não existe resposta exata para essa pergunta. Até porque todos nós que vivemos de e para a música somos um bando de sem noção. Você precisa não ter noção para fazer o que fazemos e seguir em frente. É preciso uma grande dose de ingenuidade para acreditar na música, que é uma coisa não palpável.

A música é feita de muitos fatores. Incontáveis. Por isso a única explicação lógica é acreditar nos predestinados, em uma força energética gigante que faz com que as coisas deem certo ou errado. Quem consegue equilibrar a questão subjetiva da música com a questão prática do dinheiro está no caminho do sucesso. É o que posso responder de mais honesto sobre a tal "fórmula do sucesso".

Isso acontece desde Mozart. O que ele queria? Que a habilidade que ele possuía para criar essa coisa impalpável fosse reconhecida pelas pessoas e que essa admiração o levasse a transar com mulheres, beber e ganhar dinheiro. Nada mudou até hoje. O que querem os artistas atualmente? A mesma coisa.

Quer me fazer ganhar o dia? Fale que aquele som de guitarra que tirei em uma gravação ficou do cacete. Que a gravação mostrou todo o potencial da banda. Esse tocar as pessoas é nossa gasolina. Quando você consegue equilibrar esses fatores de ego do artista com as questões práticas de mercado, esse é o caminho. Ou, pelo menos, metade dele. Mas mesmo assim nem sempre acontece. Por isso entramos no ponto da predestinação, na tal estrela.

Dá para resumir muito bem, tudo isso, na história dos Mamonas Assassinas. Os caras tiveram sete meses de carreira *mainstream* e conseguiram se tornar a banda mais querida e uma das que mais venderam na história do país.

Foi tudo tão rápido, tão meteórico, que quando terminou nem tive tempo de digerir o que havia acontecido. Ninguém teve. Até hoje.

Não fazia nem um ano que havíamos decidido que o nome Utopia não funcionaria. Se o som tinha se transformado em um ecletismo sem fim, cheio de humor, o nome precisava representar bem isso.

No outro dia, na mesma cozinha onde fazíamos as reuniões, o Samuel falou: "Achamos um nome." Aí o Dinho soltou: "Mamonas Assassinas do Espaço."

– Mamonas Assassinas do Espaço? Cara, é muito grande. Dá pra tirar "do Espaço"? – perguntei.

– Dá, dá. Fechou – disse o Dinho.

E assim ficou. Eu nem lembrava da referência à planta, que tem um tipo de frutinha espinhenta e que serve para a molecada fazer guerrinha e atirar nos outros. De Guarulhos, onde eles moravam, até o estúdio, havia um monte de matagais com mamonas. Daí eles tiveram a ideia. Era muito boa, pois tinha um duplo sentido com peitões, que foi o que usamos na capa do disco, pois todos éramos muito fãs da Mari Alexandre. Se é que você me entende.

Havia um problema um pouco mais sério a ser resolvido. Nós falamos que tínhamos repertório completo para o pessoal da EMI, mas não tínhamos. Como eu havia lido bastante sobre gravações quase ao vivo, fomos para o estúdio e eu deixava rolar o que eles improvisavam.

Muita coisa do vocal do Dinho, que foi usada no disco, veio daí. Eu deixei um microfone Shure SM57 para ele fazer a voz guia enquanto a banda tocava, e bastante do que ele cantou ali acabei usando na versão definitiva.

Antes de "Jumento Celestino", por exemplo, ele começou a cantar "De quem é esse jegue?", e tinha metrônomo de marcação da bateria vazando na voz, mas ficou daquele jeito mesmo, pois tinha um astral que valia a pena.

Como eles não tinham o menor problema em sacanear qualquer estilo – qualquer estilo mesmo – e como eu tinha experiência em deixar essa sacanagem com um tom irônico de sobriedade por ter gravado todos esses gêneros, deu a liga certa.

Gravamos tudo no meu estúdio, eles foram para Los Angeles para mixar o disco e fiquei cuidando da logística por aqui. A advogada Luciana Rangel nos orientou e acertamos as participações como empresário e banda.

Só que meu negócio principal ainda eram os estúdios. Era de onde tirava meu sustento e onde concentrava uns 90% do meu tempo até essa fase. Além disso, minha participação em relação à banda era mais artística do que logística. Foi quando lembrei do Samy Elia, empresário que era muito amigo meu e que conhecia bem de estrutura de empresariado artístico. Convidei-o para ser meu sócio e ele topou. Dos 30% que ganhávamos como empresários, dividíamos metade para cada um. O resto era da banda, o que acabava fazendo com que todos tivessem uma participação parecida nos eventuais lucros.

Da vendagem dos discos, eu recebia a porcentagem padrão de produtor, que era de 2%, e a banda tinha um contrato progressivo, que era de 10% até determinado patamar, 11% e 12% a partir das superações das metas.

Nos meses seguintes, o disco venderia mais de três milhões de cópias, e ganharia ouro, platina, platina dupla e diamante. Foi um negócio bom para todo mundo.

Eles voltaram com o disco pronto dos Estados Unidos, a EMI lançou e a primeira rádio a tocar foi a 89FM, a rádio rock de São

Paulo. Não levou uma semana para "O Vira" se tornar a mais pedida da rádio. A avalanche havia começado.

A partir do momento em que a banda começou a fazer muito sucesso, eu fiquei encarregado do RP: ir às rádios e à gravadora, e de falar com contratantes; e o Samy ficou com a parte dos negócios, cuidando das coisas de estrada também.

Esse é o ponto da biografia de um artista em que entram em cena as personalidades das pessoas ao redor. Em um dia, você tem aquela que acredita ser uma enorme promessa de banda, uns dias depois, você tem o conjunto de maior sucesso no país. Todo mundo, absolutamente todo mundo, vem atrás de você e vira seu parceiro e seu amigo de infância.

Os cinco Mamonas e eu tínhamos maturidade suficiente para não mudarmos em nada nossas personalidades. Foi um aprendizado absurdo de como enxergar as pessoas mais profundamente e também de como distinguir os interesses delas. Só que existem outros componentes, como namoradas, família, outros amigos, pessoas que não participaram do processo todo, mas que estão de maneira compreensível, até, tentando defender os interesses dos respectivos integrantes e participantes do bolo de sucesso.

É a hora em que todo mundo que participa do núcleo principal da banda, músicos, empresários, são colocados à prova. Acontece que nós todos tínhamos uma ligação de moleques, uma coisa até ingênua. Na nossa relação, pelo lado da banda, o Dinho e o Julio eram o ponto de equilíbrio. O Sergio questionava muita coisa, por insegurança mesmo. Não adianta, o artista é inseguro por natureza. Mesmo com muito dinheiro entrando a gente não chegou a ter grandes discussões. Era tudo resolvido no olho a olho.

Outro batismo de fogo para mim foi a tomada de decisões empresariais que precisava fazer, muitas vezes, de bate-pronto. Quando os caras iam para a TV, a audiência dos programas triplicava.

O Boni – José Bonifácio de Oliveira Sobrinho – era diretor geral da Rede Globo e mandou um avião me buscar em São Paulo para uma reunião. Cheguei ao Rio, sentamos para conversar e ele foi direto ao ponto. Pagaria uma quantia absurda, tipo U$ 1 milhão por ano, para os Mamonas serem artistas exclusivos da emissora. Recusar uma proposta milionária nos seus 20 e poucos anos, da maior empresa de comunicação do país, não era algo que estava nos meus planos. Mas recusei. Porque, na minha cabeça, o grupo teria uma carreira longa, não podia começar fechando portas de cara, tentando extrair o máximo de grana possível.

Recusei propostas de licenciamento pelo mesmo motivo e mais um monte de coisas. Nessa hora, aparece muita gente tentando te convencer a vender absolutamente tudo ligado à marca da banda.

Alguns balançaram, nesse momento, pois nunca haviam visto tanta grana à disposição. Mas era preciso ter um planejamento estratégico e focar na música para que os Mamonas fossem o que realmente eram: uma banda de rock.

Não tenho nenhuma lembrança de alguma situação incômoda ou ruim nessas conversas que tínhamos sobre as oportunidades que pintavam e que, na maioria das vezes, eram recusadas. Talvez porque não tenha dado tempo. Todas as memórias que tenho dessa época e deles são legais. Divergíamos às vezes, mas era tanta boa notícia que a relação não azedava.

Era pedido de show que não acabava mais. Fizeram um levantamento e, nos seis meses seguintes ao lançamento do disco, o grupo fez 190 apresentações em 180 dias. Tocaram em 25 dos 27 estados brasileiros. Só não visitaram o Acre e Tocantins.

O cachê por apresentação subiu. Vendíamos shows por 80, 90, 100 mil dólares. Mesmo nesse mercado terrível que é o de shows no país. Foram tantas tentativas de golpe, que ninguém faz ideia. Enquanto você é pequeno, tem um para te ajudar e um para tentar te dar rasteira. À medida em que você cresce, só aumenta a quantidade de pessoas querendo tirar proveito.

Cada um dos Mamonas ganhou seu milhão de dólares nesse caminho. Lembro de um dia que liguei para o Samuel e disse que iria depositar uns 80 mil dólares na conta dele. Ele brincou: "Não faz isso, vai estourar a minha conta."

Todos compraram carros legais; o Dinho queria comprar uma casa para a família e eu reinvestia no meu estúdio, que era meu centro de trabalho. Apesar de que a proporção, que antes era de 90% do tempo dedicado ao estúdio, tenha caído para uns 30% no auge do sucesso do grupo, quando passei a dedicar 70% do meu tempo à banda.

Não dá para reclamar. Foi um período importantíssimo para mim, conheci o mercado, virei um nome conhecido. Só que sempre tem o outro lado da moeda. Você é o fodão num dia; quando o botão delete é apertado de uma hora para outra, como no caso deles, no outro dia ninguém mais te procura. Somente os amigos de verdade e as relações reais que você construiu durante o processo, continuam.

Nesse caso, o ponto principal era que eu não estava perdendo o "negócio" Mamonas Assassinas e as relações de *business* construídas a partir dali. Estava perdendo cinco amigos.

Estava em casa no sábado à noite, dia 2 de março de 1996, já me preparando para no dia seguinte viajar com a banda para Portugal, onde começaríamos uma turnê europeia do grupo. Toca o telefone, era um dos produtores.

– Rick, o avião dos Mamonas sumiu.

– Como assim? Estão perdidos? – comecei a perguntar, tentando encontrar alguma explicação mais lógica e não trágica.

É a hora em que você simplesmente não acredita e que toda sua história com os caras passa como um *flash* pela sua cabeça.

Depois da primeira ligação, dizendo que o avião havia sumido, fiquei atordoado esperando notícias. Comecei a ligar desesperadamente para quem pudesse me dar alguma notícia, pois é algo que não dá para explicar – você pressente o pior, mas não quer acreditar.

Consegui falar com o Samy, que estava em Brasília com o grupo, e ele me disse que estava em contato com a torre em São

Paulo, que o avião não chegava e que já estavam dizendo que ele havia caído.

Não consigo lembrar de nada do que fiz naquele sábado. O dia inteiro prévio ao acidente foi apagado da minha memória.

O grupo tinha saído na sexta-feira no mesmo avião, um Learjet 25D, de Caxias do Sul para uma apresentação em Piracicaba, no interior de São Paulo. Na manhã do sábado, voltaram de Piracicaba para São Paulo e, no meio da tarde daquele dia, foram para Brasília. Fizeram o show e decolaram um pouco antes das 22h para voltarem a São Paulo, já que no dia seguinte começaria a excursão europeia.

Todos estavam mais que empolgados com os shows internacionais. Em Portugal, o disco já era platina dupla, então tinha toda uma promessa de ser a viagem da vida dos caras. Nossa, na verdade.

O que ainda dói muito na história é que eles foram conquistando as premiações da indústria – disco de ouro (100 mil na época), disco de platina (250 mil), platina dupla (500 mil) e diamante (1 milhão) e eles nunca os receberam em vida por descaso da gravadora. Não da gravadora toda, mas de quem cuidava da área.

Não foi por falta de pedido. Logo que virou disco de ouro, os garotos ficaram loucos para receberem a prova material daquela conquista, querendo pendurá-la na parede. Aí foi virando maior e maior a vendagem, alcançando todos patamares possíveis, e nada de retorno.

Um dia, após a morte deles, cheguei ao estúdio e os discos atrasados estavam todos lá. Chamei família por família dos integrantes e os entreguei.

O restante da história do acidente, desde a decolagem, são questões técnicas que não vão mudar em nada o destino terrível que tudo tomou. Pelo laudo, o avião iria pousar quando foi avisado que as condições não eram ideais, arremeteu, ficou sobrevoando a Serra da Cantareira, na zona norte de São Paulo, e, quando deveria fazer uma curva à direita, para a parte onde fica a rodovia Dutra, que liga o Rio a São Paulo, o piloto virou à esquerda e o avião se chocou contra a serra.

Quando veio a confirmação, só lembro da paralisia que senti. Ficava me perguntando: Por que eu não estava no avião?

A resposta lógica era que eu ia a poucos shows e cuidava da organização das coisas a partir de São Paulo. Mas, mesmo assim, era um questionamento existencial. Por que raios eu não estava no avião? O que tudo isso queria dizer? Cinco caras no auge morrerem assim, tal qual uma luz que se apaga.

Além dos cinco, ainda faleceram o piloto, o copiloto, o primo do Dinho, Isaque Souto, que estava acompanhando o grupo, e um segurança da banda que nunca viajava nesse tipo de voo, Sergio Saturnino Porto, que chamávamos de Shurilamberz.

No dia seguinte, eu dei uma entrevista para o Maurício Kubrusly, para o *Fantástico*, e não faço a menor ideia do que falei. A sombra negra do pânico e das crises que eu havia passado, desceu, imediatamente, de novo.

O domingo se tornou outra grande lacuna em branco na minha memória. Sei que ao desligar o telefone, após a confirmação do acidente, fiquei em choque a noite toda, chorando, impotente. O enterro aconteceu na segunda-feira, no ginásio Paschoal Thomeu, em Guarulhos. Foi transmitido ao vivo pela TV. Fui para lá de van, mas quando cheguei na porta não consegui descer do veículo. Não queria ver os caixões.

Dizem que mais de 100 mil pessoas foram ao velório aberto.

No dia seguinte, terça-feira, só sabia que teria de abrir o estúdio e voltar a trabalhar.

Pelo lado prático, eu não tinha ficado rico a ponto de me dar ao luxo de parar de trabalhar. Também não aceitava que ficaria conhecido pelo cara que acertou um artista e só. Nem fodendo seria esse cara. Se era esse o destino das coisas, o raio teria que cair duas vezes no mesmo lugar. Só cairia, como caiu, se eu trabalhasse.

Mesmo no meio da paralisia, que tomou conta do país inteiro, minha única resposta foi o trabalho. O acidente e a tragédia não me mudaram profissionalmente. Se existe uma verdade é que sua ética, sendo verdadeira, não é abalada em circunstância alguma.

A grande maioria das pessoas que nos bajulavam na semana anterior sumiram. As pessoas reais permaneceram. Uma delas foi o Aloysio Reis, que hoje é presidente da Sony ATV. De vice-presidente de marketing da EMI, ele já tinha assumido a presidência da gravadora e seis meses depois me convidou para ser diretor artístico da Virgin, subsidiária da EMI, no Rio de Janeiro.

Nas linhas tortas nas quais são escritas as histórias, um mês depois do acidente minha mulher à época, Suseth, descobriu que estava grávida. Isso me aproximou ainda mais dos pais do Julio, que gostavam bastante dela e foram muito carinhosos.

Só que eu tinha uma dura realidade a encarar. Ao abrir novamente o estúdio, na terça-feira, dei de cara com um quadro da banda que estava pendurado lá: o pôster de lançamento do disco, assinado por todos, em dedicatória ao sexto mamona, como me chamavam.

Meu luto foi o trabalho.

Diversão&Arte

Editor: José Carlos Vieira
josecarlos.df@dabr.com.br
cultura.df@dabr.com.br
3214-1178 • 3214-1179

CORREIO BRAZILIENSE
Brasília, sábado, 28 de março de 2015

Com a redução da força das gravadoras no mercado fonográfico, Rick Bonadio acredita que o caminho é uma parceria entre artista e produtor

» REBECA OLIVEIRA

O Midas do pop persiste?

>> entrevista **RICK BONADIO**

A cidade é São Paulo e o ano, 1986. Em um estúdio caseiro com uma mesa simples de oito canais, Rick Bonadio grava o primeiro álbum. Inicialmente, iria se lançar como rapper. A ideia não deu frutos. Para sorte dele. Algum tempo depois, conhece cinco garotos de Guarulhos (Dinho, Bento Rinoto, Júlio Rasec, Samuel e Sérgio Reoli) e produz sua primeira banda de pop rock — Mamonas assassinas, com três milhões de discos vendidos antes da morte trágica, em 1996. Este ano se comemora duas décadas do início da banda.

Rick Bonadio não é uma unanimidade. Para alguns, é um gênio. Para outros, um mercenário que enxerga a música como um produto à venda. Mas, é impossível negar que seu currículo desperta inveja: além dos Mamonas Assassinas, outros nomes de peso, como NX Zero, Titãs, Charlie Brown Jr, CPM 22, e, mais recentemente, a estrela teen Manu Gravassi, devem parte do sucesso ao paulista com fama de marrento.

Em entrevista ao **Correio**, Bonadio recorda os altos e baixos da carreira, decreta que gravadoras não são mais necessárias e detona sites de financiamento coletivo. "Há 10 anos, eu dirigia a Virgin, uma multinacional, e investia em 18 artistas novos por ano. Hoje, qualquer gravadora investe em quatro, no máximo. Com muito cuidado e pouca agressividade", afirma.

Há quem o considere um visionário e quem o classifique como um mercenário. Afinal, quem é Rick Bonadio?
Eu sou um profissional da música que começou a carreira muito cedo, aos 16 anos. O sonho da minha vida, desde a infância, era ser artista e fazer parte desse mundo. Depois disso, acabei descobrindo que produzir, conhecer e gravar em estúdio era o que gostava mais de fazer. Sou essa mesma pessoa, com os mesmos sonhos e continuo esperando o próximo artista, a próxima gravação. Divirto-me muito dentro da estrutura que consegui construir. Afinal de contas, quando temos sucesso, é normal que as pessoas que não trabalham conosco nos julgue de inúmeras formas. A fama traz isso, e vejo com naturalidade. Quem me conhece sabe que sou um cara muito simples, que a única coisa que eu quero é trabalhar.

Apesar de ter uma carreira recheada de sucessos, você também passou por alguns maus momentos. Como você contorna as apostas que não dão certo?
Faz parte da vida de qualquer pessoa. Quando trabalhamos com música, há um nível alto de risco, uma exigência de sucesso. É natural que alguns artistas não se emplaquem. É impossível acertar com todos. Não dá para ganhar sempre. Muita gente me critica, mas meu trabalho é igual ao de todo mundo. É como um jornalista, às vezes faz matérias incríveis e outras que não têm repercussão nenhuma. Faz parte de qualquer profissão. Não é um tropeço que vai me tirar daqui. Vi e vivi de tudo. Artistas que deixam amigos por causa de drogas. Perdi os Mamonas em um acidente terrível e fiquei muito mal, bastante doente, porque eles eram meus amigos. O mesmo aconteceu com os meninos do Charlie Brown Jr. E aí, vamos entendendo um pouco o sentido da vida.

Chateia ouvir bandas que você produziu desdenhando do seu trabalho, como aconteceu com o Los Hermanos?
Não me chateio porque sempre há um motivo envolvido. Não chega a ser uma autopromoção, mas alguma rusga ou algo que ficou mal resolvido e o cara coloca para fora no momento errado. O artista tem que se preocupar em vender música, não em ficar falando mal do cara que ajudou ele no começo da carreira. Antes, eu me revoltava com a ingratidão, mas hoje isso não me aborrece porque a maioria das pessoas, de um modo geral, sentem isso em algum momento. Mas felizmente, existem boas exceções.

Você é um dos grandes responsáveis pelo sucesso dos Mamonas Assassinas, CPM 22, Titãs, Charlie Brown Jr. e NX Zero. Há alguma fórmula para que uma banda atinja o estrelato?
Não acho que exista uma fórmula. Todas as histórias dos artistas que você citou se deram de forma diferente. A única coisa que eles tinham em comum era uma estrela muito forte. Você sente, por algum motivo difícil de explicar, que tudo o que fazem dá certo e tem um retorno positivo do público. Temos muitos artistas tecnicamente talentosos, bons músicos, que tocam muito bem, mas a minha função é descobrir se tem nota no "caderninho de Deus" para fazer sucesso no mundo da música. É preciso mais que talento. É necessário brilho, carisma, originalidade e trazer algo diferente, e mais importante, uma personalidade artística marcante, imprimir algo que as pessoas queiram comprar, magnetize o público para levá-lo ao show. Não está nada fácil vender ingressos ou discos...

As gravadoras não são mais necessárias?
Precisamos é de produtores e de empresários que lutem com artistas para potencializar e aumentar o sucesso que eles já têm. Mas, as grandes gravadoras não são nem um pouco necessárias.

Nos últimos anos, houve uma drástica mudança na forma em que a música é vendida e compartilhada. Qual o papel de uma gravadora e de um produtor musical hoje na carreira de um artista?
Existem duas etapas na carreira de um artista. A primeira é a que ele pode ser independente e sobreviver na internet. Ele até consegue fazer alguns shows. Mas, quando quer dar um passo além, conquistar o Brasil e ter uma carreira sólida para toda a vida, precisa de um produtor que se dedique e que tenha a capacidade de fazer sua música evoluir. Hoje, as gravadoras não são mais essenciais, porque elas não estão mais investindo em artistas novos. As gravadoras rumam para serem grandes distribuidoras e não mais centros de departamento artístico. Confesso que o cenário atual é complicado para os artistas novos.

ESTA ENTREVISTA MARCA A ÉPOCA DA VIRADA E DO FINAL DO AMPLO PODER DAS GRAVADORAS SOBRE OS ARTISTAS E A MÚSICA.

Capítulo 5

QUANDO VOCÊ FAZ SUCESSO COM ALGO, é muito bom. Só que existe outro lado na história que, ao fazer sucesso, você também se torna seu principal adversário. Ainda mais na música. Tudo o que você fizer a partir dali será comparado ao seu bem-sucedido trabalho anterior. Nem vou discutir se é justo ou não. É algo que é melhor aceitar e seguir em frente.

Tinha consciência de que estava passando por essa prova, mas o que mais mexia comigo era a determinação de que eu não seria, de jeito nenhum, um *one hit wonder*, ou seja, o cara que se tornou número 1 com uma música ou artista e depois passou o resto da carreira sem acertar outra vez – já naquela época o sucesso era rapidamente esquecido.

Como eu havia decidido trabalhar desde o instante em que os Mamonas foram enterrados em Guarulhos, foquei no que estava em andamento. Na época, o grupo que mais me instigava era o Lagoa 66. Eles já tinham certo nome no *underground* de São Paulo; eu havia visto apresentações deles no Aeroanta, principal casa da cena alternativa – eu e o Dinho adorávamos a banda, que foi uma grande influência para os Mamonas. Aliás, o grupo tinha um estilo que, se não era tão engraçado quanto o dos Mamonas, combinava o mesmo tipo de humor, diversão e astral nas letras, e um puta som nas bases.

O primo do Leonardo, baterista do Lagoa, trabalhava no meu estúdio e pedi para ele chamar o grupo para conversarmos. Eles vieram, bateu uma sintonia legal, eu me comprometi a gravarmos e mostrar a demo para a EMI, e foquei no trabalho. Como misturavam funk com rap e rock, e eu tinha experiência em organizar essas misturas ecléticas, a demo ficou foda.

Gravamos uma música chamada "Bem Feito", o hit deles e que tinha até clipe que passava na MTV de vez em quando, e mais três músicas e mandei para o João Augusto, da EMI. Lembro que ele me ligou um tempo depois e falou: "Bem acima da média essa banda." Combinamos de a EMI contratá-los e eu produzi-los.

Ao mesmo tempo, surgiu outra banda com a mesma *vibe* dos Mamonas para eu trabalhar. Um pouco antes do acidente, eu estava no Metropolitan, no Rio, para um show dos Mamonas e apareceu o presidente do selo Natasha Records, criado pelo Caetano Veloso e pela Paula Lavigne, e se apresentou para mim.

Ele me disse que haviam contratado a banda Baba Cósmica, do Rafael Ramos, filho do João Augusto. Era outra levada, um lance mais hardcore, na linha do NOFX, mas ele queria saber se eu topava produzi-los.

Os Mamonas já haviam dado um holofote para o Baba Cósmica ao gravarem uma música dos caras como vinheta, no chão do meu estúdio: "Sábado de Sol". Sabe aquela: "Sábado de sol/ Aluguei um caminhão/Pra levar a galera/Pra comer feijão/Chegando lá/Mas que vergonha/Só tinha maconha/Os maconheiros tava doidão/Querendo o meu feijão"?

Os meninos do Baba Cósmica vieram para São Paulo, eram bem moleques mesmo. O Rafael era o líder. Depois ele se tornou um grande produtor, de artistas como a Pitty, Cachorro Grande, Dead Fish. Fizemos um disco bem legal, "Sábado de Sol" tocou bastante na rádio e ganhou até disco de ouro.

Com o sucesso explosivo dos Mamonas, claro que uma nova cena de bandas na linha do rock diversão surgiu. Nem dá para dizer que eram formadas com a intenção de tirar proveito do vácuo aberto ou que as gravadoras estavam querendo criar réplicas da galinha dos ovos de ouro. Tanto para mim quanto para o resto do público, músicos e gente da indústria, era uma sensação de vazio que foi aberta com o desastre que interrompeu tão precocemente o grupo. Junto a uma sensação de vácuo criativo que, de algum modo, precisava ser preenchida.

Nessa, cheguei até a procurar o Falcão, um dos reis do brega, pois ele era uma das principais influências dos Mamonas. Muitas possibilidades de produção nesse caminho também foram abertas.

No meio disso tudo, a gravadora MCA havia acabado de chegar ao Brasil. Eles contrataram uma banda com um toque sarcástico e, por conta dos Mamonas, o diretor artístico lembrou de mim na hora da produção. Era Os Theobaldo, um grupo muito louco (e legal) que juntava funk carioca com metal e música nordestina. A composição dos integrantes também era uma salada – tinha argentino, paulista, carioca. Gravei com eles o disco de estreia, homônimo, e eles ainda lançaram mais um antes de trocarem o vocalista, para o Egypcio, e mudarem o nome para Tihuana.

A banda é o maior exemplo das voltas que o mundo dá no mundo da música. O sucesso do disco de estreia do Tihuana, *Ilegal*, de 2000, era a música "Tropa de Elite". Conseguimos ganhar um disco de ouro, o álbum vendeu por volta de 150 mil cópias e todo mundo ficou feliz. Mas os quatro discos seguintes, até 2006, ficaram naquela zona intermediária, de 40/50 mil cópias.

Em 2006, o José Padilha, diretor de cinema, me procurou para falar sobre o uso da música em um filme que ele estava fazendo.

Na versão do Tihuana a "tropa de elite" eram os pegadores de mulheres: "Tropa de Elite/Osso duro de roer/Pega um, pega geral/Também vai pegar você". Só que a música virou hino dos caveirões do Bope, quando subiam o morro para alguma missão, numa de bombar adrenalina antes de os caras saírem para o confronto.

O grupo topou, eu dei carta branca, pois a música tinha sido registrada pela minha editora, e a gente achava que seria mais um filme brasileiro meio que independente e que poderia dar um novo fôlego para o disco de estreia. Só que o lance ganhou uma dimensão em que a música batizou o filme (que era para ter outro nome), e *Tropa de Elite* foi o maior sucesso do cinema brasileiro em 2007, quando foi lançado, com uns dois milhões e meio de espectadores.

A coisa cresceu ainda mais quando lançaram o segundo, em 2010. Virou o filme brasileiro mais assistido da história, com 11 milhões de público, batendo um recorde que durava quase 35 anos, do filme *A Dama do Lotação*.

O Tihuana andava em uma maré bem tranquila antes do filme. Foi uma revigorada que só esses fenômenos artísticos podem dar.

Claro que nada disso estava na minha cabeça depois do que aconteceu com os Mamonas.

Como empresário, eu havia voltado à estaca zero. Samy e eu pegamos o Lagoa 66, de quem extraímos o 66 e ficou só Lagoa, e o Baba Cósmica para empresariar. O Baba teve vida curta, e o Lagoa não virava de jeito nenhum. Ainda mais depois que percebi que existe uma força contrária em parte da crítica musical, um lance invejoso, principalmente de músico frustrado que vira crítico e passa a usar a filosofia do "eu não dei certo, vou fazer de tudo para que ninguém mais dê". Quando você percebe isso, em algumas críticas, essa postura fica muito clara.

O Lagoa era uma banda no qual eu acreditava para valer. Os caras eram muito bons, o som era foda, a química da banda era boa, tinham repertório, tudo. Investi nos caras, gravamos, saiu o disco e uma das primeiras críticas que saem é de que o grupo seria uma farsa, uma tentativa de se apropriar do legado dos Mamonas, que os caras eram funcionários de lojas de instrumentos musicais da famosa rua Teodoro Sampaio, em São Paulo, juntados para tirar proveito. Era mentira. Mas tente explicar para um por um da gravadora que é mentira. Tiraram grana de marketing do grupo e aí é que não viraria mesmo.

Não dá para generalizar. Mas nos anos 1980 e 90 era uma prática recorrente esse tipo de texto espírito de porco e eu meio que comprei uma briga com os críticos. Haviam os legais também. Por causa de um desses, tirei a inspiração para batizar meu estúdio.

Um repórter do caderno jovem Zap, do jornal *O Estado de S. Paulo*, foi fazer uma matéria comigo. Quando foi publicada, abri o jornal e o título era: "Rick Bonadio é o novo Midas da música". Não sabia quem era Midas e pensei: o cara está me xingando.

O texto era super honesto, legal, mas ainda não existia o Google e nenhum amigo próximo sabia quem era a porra do Midas – se era um adjetivo, um xingamento ou uma pessoa. Fiquei meio cabreiro. Até que um amigo falou: "Midas não era aquele rei da mitologia grega no qual tudo em que encostava virava ouro?"

Aí deu o clique. Pensei: "Que nome foda! Quando tiver um estúdio vou dar o nome de Midas." Já tinha a ideia de reinvestir absolutamente tudo o que tinha em um estúdio de primeira. Deu o clique.

Como eu era metido a besta, decidi ir para Nova York e pesquisar o arquiteto mais pica em construção de estúdios. Cheguei lá, comprei umas revistas, comecei a fuçar e achei o cara que queria: John Storyk, que tinha feito o Electric Ladyland, para o Jimi Hendrix, lá mesmo em Nova York. Falei: "Esse é o cara."

Fui atrás dele, nos encontramos e ele foi super gente fina, apesar de eu ser ainda um moleque de nem 30 anos. Conversamos, expliquei minha ideia, e coincidentemente ele tinha um parceiro no Brasil que poderia fazer o meio de campo, o Carlos Duttweller.

Voltei para cá e fui atrás de um lugar. Achei um terreno (na Zona Norte, claro), na Rua Leão XIII. Metade do dinheiro que eu tinha para investir era suficiente para comprar a área, então fui em frente.

Contratei um engenheiro para subir o prédio, o John Storyk para fazer as plantas e o Carlos para dar assessoria. Não tinha internet fácil na época, então adquiri uma BBS (*bulletin board system*), uma espécie de internet pré-histórica, para receber as plantas, e fomos construindo rigorosamente de acordo com as orientações que o Storyk passava.

O prédio ficou pronto, mas acabei gastando todo o dinheiro que tinha na compra do terreno e na construção. Eu estava casado desde 1993 e minha primeira filha, a Gabriela, era bebê ainda. Mesmo assim, eu precisava arriscar para conseguir equipar o estúdio ou teria nas mãos o maior elefante branco da cidade.

Vendi absolutamente tudo o que tinha, inclusive carro e apartamento – só não vendi a roupa do corpo –, e completei o Midas. Ficou do jeito que eu queria: tinha uma sala de gravação (hoje tem três), mas a mesa de som SSL (Solid State Logic) da sala 1 é a mesma até hoje.

Estava na véspera de realizar meu sonho, que era trabalhar num estúdio de primeira que fosse meu, quando o Aloysio Reis foi promovido de vice-presidente de marketing a presidente da EMI.

Ele me ligou e marcou uma reunião no Rio. Quando cheguei, começamos a conversar e ele disse que queria mudar algumas coisas por lá, que havia gostado do modo como eu trabalhava, que a EMI tinha incorporado outra gravadora legal, a Virgin, e me convidou para ser diretor artístico do selo. Não tinha como negar. Eu não só queria saber como uma gravadora funcionava por dentro, como *precisava* desse conhecimento.

Por outro lado, eu tinha família em São Paulo, um bebê e meu estúdio que seria inaugurado em breve. No entanto, aceitei o convite, mudei para um quarto no Hotel Sheraton, em São Conrado, ganhei um cargo de diretor e uma sala.

Na minha primeira semana na gravadora fui ouvir o *casting*. Tinha 27 artistas. Nenhum se salvava. Zero. Chamei o João Paulo Mello, presidente da Virgin, e falei a real. Que simplesmente não dava e ele me deu carta branca para trocar todo mundo.

Minha porta na gravadora, durante uma semana, estava parecendo fila de espera em consultório médico. Entrava artista por artista e eu explicava: "Olha, o trabalho não está adequado ao que queremos. Vamos ter que cancelar o contrato...", e por aí vai.

Uns reagiam bem, outros mal, era sempre uma surpresa. O Lobão, que eu esperava que reagisse negativamente, foi o mais sensato: "Você tem razão. Gastei uma puta grana para fazer o disco, sabia que era muito caro e que não iria dar certo mesmo."

No processo, comecei a entender o Rio de Janeiro e, em uma visão mais ampla, o cenário da música brasileira. No Rio, você vai tomar um açaí, chega na casa de sucos e tem uma TV ligada na Rede Globo; vai tomar uma cerveja em um bar, TV ligada na Globo; vai comer no Cervantes de madrugada, mais uma TV na Globo. Ou seja, o Rio era um retrato da Globo. O mundo do carioca começava e terminava na programação da emissora. Portanto, isso refletia na produção artística.

Você pegava uma banda de rock do Rio e era aquela coisa com sotaque carioca. Tinha um monte delas no *casting* da Virgin. Quando eles iam fazer samba, bossa-nova ou algum gênero de trilha sonora de novela global era do cacete. Mas fora essa zona de conforto "Baía de Guanabara", não saía mais nada de novo. E o país sempre foi muito maior do que isso na música.

O problema era que todas as gravadoras estavam instaladas no Rio de Janeiro. Eram multinacionais, e quando viram que o Brasil era um mercado em potencial e foram abrir suas operações no país, por volta dos anos 1960, faziam uma consulta de localização. Certamente acabavam com São Paulo ou Rio como opções. Aí você pergunta a um gringo que está mudando, geralmente de um país de inverno rigoroso, onde é melhor montar a operação no país – em uma cidade sem praia, cinzenta, ou à beira-mar, no Rio. A resposta é óbvia!

As gerações seguintes de gestores, presidentes, vice-presidentes, diretores, era naturalmente formada por imensa maioria de cariocas, que não faziam a menor questão de mudar as operações (e se mudarem) para São Paulo pelo "bem das empresas".

Só uns 30 anos depois, todas se tocaram e abriram escritórios em São Paulo. Mas na época toda essa influência carioca ainda era uma batata ainda mais quente que acabava nas mãos dos diretores artísticos das gravadoras.

Meu acordo, quando fui contratado, estipulava que eu poderia continuar produzindo, desde que isso não atrapalhasse meu trabalho na Virgin. Então ainda mantinha proximidade com o estúdio, gravava algumas bandas e continuava insistindo no Lagoa.

Até que resolvemos dar, o Samy e eu, uma cartada com a banda. Alugamos um galpão famoso em São Paulo, conhecido por ser da família Matarazzo, montamos um megashow de lançamento do disco e botamos as fichas que restavam ali. Foram os convidados da gravadora, convidados da imprensa, os nossos, mas nada de público.

A gravadora já não queria investir em marketing desde que aquela malfadada matéria havia saído – os caras da banda ralavam, mas não vinha resultado. Para a música tocar na rádio, lembro que o baixista, Helio Leite, e eu ficávamos ligando o dia inteiro para pedir a música de trabalho. A gente até fazia uma lista de nomes e RGs falsos, e qualquer brecha que dava na agenda ligávamos para as rádios e pedíamos a música. Fiquei com calos no dedo de tanto digitar o teclado do telefone.

O que saiu de bom daí foi que o Helio era gente fina, esperto, tinha sido muambeiro, era do esquema de se virar, então levei-o para trabalhar comigo na gravadora quando a banda acabou – ele, até hoje, é meu diretor de marketing. A parte ruim foi justamente isso: o Lagoa ter desistido.

Tem um ponto em que todos os envolvidos parecem sacar que não adianta mais insistir. Você programa 10 ações com o grupo, e nove, inexplicavelmente, dão errado. Marca entrevista e o jornalista fura, o clipe vai passar no Fantástico e acontece um rolo na política e cortam a exibição, vai gravar clipe e chove no dia... É algo como uma conspiração adversa, que só dá para sacar quando se está envolvido.

Se tenho uma característica boa é a de saber encerrar ciclos. Não tinha noção disso até olhar as coisas em perspectiva. Mesmo se o lance ainda estivesse rendendo frutos, mas eu tivesse a convicção de que o ciclo estava encerrado, eu partiria para outra sem olhar para trás.

Existe um ponto aí que me incomoda muito que é a acomodação. Ou talvez a tal zona de conforto. Você está lá, ganhando o dinheiro que é suficiente para te sustentar, fazendo um trabalho que dá para o gasto e acaba no risco de mofar na tal zona confortável. Graças a Deus nunca tive essa (falta de) ambição, de fazer o meia-boca, receber o meia-boca, deixando que a energia fique parada. Acho isso o maior atraso de vida do mundo. Não que o Lagoa fosse um grupo mais ou menos. Bem longe disso, aliás. Mas era um ciclo que, na minha opinião, não adiantaria insistir.

No caso deles teve outro fato triste, pois o grupo chegou a sentir o cheiro do sucesso. É como estar morrendo de fome, sentir o cheiro de comida fresquinha vindo da cozinha, ir até lá, montar o prato, mas não poder comer e precisar voltar para a sala.

Eles estavam, de certo modo, estabelecidos no *underground*. Tinham lá seus 10 anos de carreira. Poderiam estar até hoje com a banda, contanto que não fosse a principal atividade deles, já que o *underground*, no Brasil, não te sustenta financeiramente para que você possa apenas viver disso. No caso deles, tanto a banda quanto eu colocamos as fichas para que o Lagoa ultrapassasse a barreira do *underground* para o *mainstream*. Eles até pisaram no território estrelado. Não avançaram. E aí não tem cristão que retorne às vacas magras na boa. É impossível voltar para o ponto anterior depois de quase estourar.

O Lagoa me trouxe essa lição e, se não fez o sucesso devido, pode se orgulhar de ter aberto uma das portas mais importantes do cenário rock do país.

Em um dos ensaios da banda, no Galpão Fábrica, eu combinei de receber um moleque chato pra caralho, amigo do Tadeu Patolla, guitarrista e vocalista do Lagoa, que insistia em me encontrar para entregar a demo tape da banda dele. Tinha que ser em mãos. Depois fui entender o porquê. Esse moleque era o Chorão.

Peguei a fita, coloquei e me senti no papel inverso que o Arnaldo Saccomani teve comigo. O grupo era muito bom. Só que tinha quatro músicas, três ruins, numa tentativa meio Suicidal Tendencies, e "O Coro Vai Comê", em versão de sete minutos.

A música começava hardcore, virava ska, ia para rap, finalizava punk. Chamei os caras e falei: "Quero gravar vocês. Mas é o seguinte: dessas músicas, só fica 'O Coro Vai Comê', e dela só essa parte ska. Vamos fazer um repertório melhor."

Os caras ficaram todos marrentos. "Pô, mas a música vai ficar com dois minutos, assim."

– Vai. Se tiver que ter dois minutos, vai ter dois minutos. Importante é que ela seja boa, falei.

A música foi para a rádio com 2 minutos e 21 segundos. E foi o que foi.

O Charlie Brown Jr. foi minha primeira contratação na Virgin. Depois de fazer a rapa completa no *casting*, fui mostrar para o Aloysio Reis, todo empolgado. Ele gostou e veio com a ideia de lançar o grupo em CD compacto.

Era uma época em que a grana vinha sobrando e os diretores artísticos faziam a festa na hora de gravar. O custo de gravação dos discos era um absurdo. Para evitar um risco maior, veio essa ideia da volta do *single* – a banda gravava umas duas músicas, o custo de gravação seria mais baixo, lançava, e, se desse certo, a aposta teria valido; se não desse em nada, o investimento perdido seria menor.

Só que eu não acreditava nem um pouco no CD *single*. No caso do Charlie Brown, porque eu sabia que eles tinham potencial de lançarem um disco cheio, que seria do cacete. E porque nunca havia visto uma banda boa de verdade que só tinha uma ou duas músicas legais no repertório.

Bati de frente com ele.

– Não, não, ou lança CD cheio ou melhor nem trabalhar os meninos – falei.

– Você acha eles tão bons assim? Então, beleza. Mas não vai sair caro para gravar, né?

Falei que não, que gravaria no meu estúdio, rapidamente, e tudo certo. Respondi tudo isso lembrando da situação que havia acontecido comigo, na dupla Rick e Nando, quando o Arnaldo foi demitido da Jovem Pan – um erro na estratégia do *business* e você corre sério risco de comprometer uma carreira inteira do artista.

Chamei o Tadeu Patolla – realmente acredito que as histórias sempre se misturam e as coisas não acontecem por acaso no universo artístico –, para produzir junto comigo, coloquei os moleques em uma sala e chamei-os meio que para o pau. "Vocês quase viraram *single* na gravadora. Então é hora de mostrar que são uma banda foda e façam valer o disco cheio."

Os caras tocavam muito. Um guitarrista era melhor que o outro, o Chorão arrebentava, o Champignon, além de destruir no baixo, ainda fazia uns *backing vocals* que me lembravam o DJ Run, do Run-D.M.C., e o Pelado segurava tudo na bateria. Desde então, não lembro de ter visto uma banda que roncava tão forte quanto o Charlie Brown Jr.

Tiramos um som incrível, gravamos, levei para a gravadora, todo mundo gostou, mas ficou um clima de "o período não está para o rock", "vamos ver se vale o investimento e quanto". No cenário, tinha o Planet Hemp, Raimundos, e era apenas isso de novidade. Até entendo a falta de ânimo dos caras da gravadora. A música de trabalho começava da forma mais paulistana possível: "Meu, tu não sabe o que aconteceu!" Tocar uma música que começava com "meu", no Rio, iria ser osso.

Para falar a verdade, eu só havia visto os caras tocando ao vivo em estúdio. Contratei a banda sem ter ido a um show. Contudo, dá para saber quando o grupo é bom de palco, nessas condições.

Mas teria uma chance, na convenção de final de ano da gravadora que estava para acontecer.

Vários artistas da EMI iriam se apresentar, durante a semana de convenção, em casas noturnas do Rio. Na gravadora, tinha uma sala de ensaio com certo espaço extra, que adaptei para caber público e pedi para que eles tocassem lá para os representantes de vendas da EMI, que era a maioria da plateia que estava na sala.

A gente meteu um monte de cadeiras, tipo carteiras escolares, chamei o Chorão e falei: "Essa é a chance. Ou vocês arrebentam e fazem os caras tirarem as bundas das cadeiras e venderem vocês ou vamos encalhar."

Ele subiu no palco, naquele andar todo marrento dele, e mandou: "Galera, demais isto aqui. É a primeira vez que toco numa sala de aula." Quebrou o gelo e todo mundo riu muito.

Os caras tocaram pra caralho. Pra caralho mesmo. Terminou a convenção, o Aloysio me chamou e falou que só se falava em Charlie Brown. O dinheiro para divulgação entrou e, do mesmo jeito que entrava, multiplicava. *Transpiração Contínua Prolongada* fez em pouco tempo quatro *singles*: "Proibida pra Mim (Grazon)", "Tudo que Ela Gosta de Escutar" e "Quinta-Feira", além de "O Coro Vai Comê!", e vendeu 500 mil cópias. Platina dupla na época.

Em três anos, a Virgin não havia conseguido um disco de ouro sequer. Com o Charlie Brown penduraram o equivalente a cinco, logo de cara, nas paredes.

Eu fiquei bonito lá dentro.

Como diretor artístico eu ainda conseguia fazer minhas produções por fora. Nesse jogo corporativo de cadeiras, quando o Aloysio virou presidente da gravadora, o João Augusto saiu e foi trabalhar como diretor artístico da Abril Music, que tinha o Marcos Maynard como presidente. Um dos primeiros negócios que fez foi contratar o Los Hermanos, banda que tinha sido apresentada pelo Rafael Ramos, filho dele.

Ele me ligou e pediu: "O Rafael encontrou essa banda, mas ele ainda não tem maturidade para segurar sozinho no estúdio. Topa gravar com ele?"

Fui falar com Aloysio se tudo bem, pois não faria nada pelas costas. Ele liberou, com a condição de que não atrapalhasse meu trabalho na Virgin, e gravamos. Os caras nem queriam gravar "Anna Júlia", que acabou sendo uma das músicas mais tocadas daquele ano. Até o George Harrison participou de uma regravação da música com o Jim Capaldi, do Traffic, dois anos depois. Teve ainda outro *single*, "Primavera", e ganhou disco de ouro.

Gravei também outro disco pela Abril Music. Mas esse fui eu mesmo que pedi para trabalhar: o *18 Anos Sem Tirar*, do Ultraje a Rigor. Eu gostava dos caras desde moleque e queria participar. Só que esse o Rafael assinou a produção sozinho, pois o Aloysio achou melhor omitir meu nome.

Tinha quatro inéditas em estúdio, que foram as que gravei: "Nada a Declarar", "O Monstro de Duas Cabeças", "Preguiça" e "Giselda". O restante eram sucessos da banda, ao longo da carreira, gravados ao vivo em Curitiba.

No embalo de "Nada a Declarar", que era aquela do refrão: "Eu não tenho nada pra dizer/Também não tenho mais o que fazer/Só pra garantir esse refrão/Eu vou enfiar um palavrão (cu)", virou também disco de ouro.

Mesmo sem assinar a produção, na gravadora as pessoas sabiam que eu havia participado. Como o álbum estava indo bem, virou mais um carimbo de qualidade em relação ao meu trabalho.

Mas a situação não era um completo mar de rosas. Quando íamos para a sede da Virgin, em Miami, para as reuniões, percebia que o João Paulo tomava um monte de esporros dos gringos.

A Virgin era dona da Jive Records, também, um selo que tinha Britney Spears, Spice Girls, Lenny Kravitz, Manu Chao, Backstreet Boys, um *casting* que arregaçava de vender nos Estados

Unidos e no restante do mundo, mas que no Brasil apresentava um fraco resultado comercial.

Comigo era só tapinhas nas costas. Além do Charlie Brown, havia lançado a Deborah Blando, que virou superbem; um disco com o Moraes Moreira, chamado *50 Carnavais*, que também rolou; e a Vanessa Rangel, que estava tocando bastante com o *single* "Palpite". Já o João Paulo estava passando o diabo com os caras, por conta da baixa performance dos artistas internacionais.

Finalmente a gravadora se mudou para São Paulo e montaram um escritório na Avenida Engenheiro Luís Carlos Berrini, uma importante *área comer*cial da cidade. Estava *lá*, tocando a vida, meus artistas e estúdio, agora definitivamente mais perto tanto do Midas quanto da família, quando o Aloysio Reis me chamou para um café da manhã no Hotel Maksoud Plaza.

– Olha só, não aguento mais a pressão dos gringos. Eles não querem mais o João Paulo como presidente da gravadora, você fez a coisa virar com os nacionais, ele não resolve o problema dos internacionais, então quero te convidar para assumir a presidência da Virgin. Topa?

Foi o sim mais fácil e difícil que falei na vida. Mesmo assim, topei na hora.

Foi fácil porque como presidente era um salário absurdo, algo equivalente hoje a uns R$ 120 mil por mês, fora bônus por resultado, benefícios múltiplos, só viajava de primeira classe e tudo mais. Foi difícil porque o Midas estava pronto para estrear e, enquanto diretor artístico eu poderia tocar minhas produções e empresariar artistas, mas, ao virar presidente de gravadora, isso iria acabar. Simplesmente não teria tempo livre, além do conflito de interesses. Minha liberdade artística cairia inteiramente.

Era um universo de planilhas, contratos, lidar com jurídico, assinar pela gravadora. Só que eu era bem ambicioso – se me dessem um desafio, eu iria provar para a pessoa que conseguiria. Não só para mim mesmo, mas também me sentia desafiado pelo mundo. Além disso, no meu planejamento de carreira, eu queria enormemente saber como funcionava uma gravadora nos mínimos detalhes, mais ou menos como fazia quando debulhava os manuais dos teclados e sintetizadores para tirar todos os sons possíveis dali.

Aos 28 anos, eu me tornei o presidente mais jovem de uma multinacional de música no país. Na Luís Carlos Berrini, Zona Sul da cidade.

Enquanto isso, na Rua Leão XIII, na Zona Norte, o Midas estava pronto para inaugurar. A primeira banda a gravar nele foi o Smashing Pumpkins.

SALA 1 DO MIDAS ESTÚDIO, EM 2015.

Capítulo 6

FAZER SUCESSO NO BRASIL É QUASE UMA OFENSA.

Sei que no capítulo passado falei que era muito bom, mas é preciso colocar dentro do contexto do país. Pois a segunda colocação que mais ouvi na vida foi: "Só fez sucesso porque se vendeu." A primeira é antiga: "Qual é a fórmula do sucesso na música?"

Cansei de ser associado a esse lance de se vender, a mim ou à minha carreira. Uma coisa precisa ficar clara. Não existe essa de se vender. Primeiro porque você não engana o público. Nunca. Segundo porque música é arte. Como tal, não existe fórmula matemática para ser bem-sucedido como profissional dela. Principalmente pelo fato de ter um terceiro componente na história que é saber separar muito bem o produtor do artista. São água e óleo. Ou você é um ou outro. O artista precisa ser coerente com um estilo. O produtor não precisa.

Quando teve o congelamento de preços, no meio dos anos 1980, época do hiperconsumo, quando eu estava montando o estúdio e iniciando meu negócio como produtor, virei o maior pesquisador de música do mundo.

Chegava em uma loja de discos do Shopping Center Norte, abria a carteira, contava o dinheiro e perguntava para o vendedor: "Quantos discos de tal gênero isso dá pra comprar?" E levava todos para casa para estudar.

Quando digo estudar, é estudar mesmo, no sentido literal da palavra.

Como o estúdio começou a ser bastante frequentado por duplas sertanejas, já que uma indicava para outra, eu comprei absolutamente tudo o que pude de discos do gênero, de sertanejo de raiz até os das novas gerações. Ouvia tudo e prestava a maior atenção ao que tinha feito sucesso. O que havia de diferente ali? O que os caras tinham como assinatura própria? Quais elementos eram mais recorrentes nas músicas que haviam virado hits no gênero?

Assim, comecei a trabalhar com bom conhecimento de causa. E fiz isso com todos os gêneros. Pensa em um. Ok, tango? Virei um especialista em Carlos Gardel. Basicamente porque um dia poderia aparecer um cara no estúdio que quisesse gravar tango. E apareceu.

Foi essa personalidade que os caras da Virgin enxergaram em mim, somado ao fato de que eu vinha tendo um bom desempenho com o *casting* nacional (ou seja, eu tinha conhecimento do mercado pop brasileiro) e conhecia as pessoas que faziam o pop acontecer no país. Pensando por esse ponto de vista, eu também gostaria de ter um funcionário assim para o cargo.

Meu lema era simples: para fazer música boa, você precisa ouvir e debulhar músicas boas. Resumindo em um conselho: ouça os discos. Ouça com atenção. E ouça absolutamente tudo o que puder. Esse conhecimento empírico de música será decisivo mais à frente, caso você queira viver nesse mercado.

Com essa base, eu fiz muitas produções bem-sucedidas. Para mim não importava se um dia era pagode, no outro, axé, e, no terceiro, heavy metal. O que importava era ter o recurso para gravar da melhor forma o gênero que fosse, pois se eu fizesse bem o serviço, o cara voltaria. Isso te deixa com uma casca à prova de preferência por gêneros. Você começa a criar diferentes artifícios, começa a tentar sentir a música, e a entender por que ela emociona (ou não).

Você também corre um sério risco de ser chamado de vendido. Porque aqui é assim: "Artista X fez sucesso? Artista X é vendido."

Não adianta nem tentar começar a explicar que não existe música mais ou menos artística. Você não compõe seguindo uma receita do tipo "coloque três colheres de refrão no meio, duas pitadas de solo de guitarra e por aí vai". Você simplesmente utiliza uma inspiração, seja para escrever uma letra ou compor uma melodia, vai acertando o som e toda a base até que a canção fique gostosa e você arranque o máximo potencial dela.

Isso é arte. E fazer arte é fazer algo de coração. A emoção que você coloca ali pode vir de inúmeras fontes. Pode ser o pé na bunda que você tomou, pode ser a paixão que está sentindo por alguém, qualquer coisa. E sempre será um componente fundamental a influência de coisas boas que você ouviu.

Eu escolhi municiar minha alma e cérebro de qualidades musicais e elementos que fizeram sucesso. Eu escolhi ser produtor, não artista. Tinha sentido o gosto do sucesso e, quando você passa por isso, não quer largar. Queria emocionar as pessoas com essa arte. Você pode emocionar uma pessoa. Pode emocionar mil. E pode emocionar um milhão. Obviamente prefiro emocionar um milhão.

Até porque meu histórico, desde moleque, é o de ser movido a desafios. Na escola eu não era famoso pelo bom comportamento. Muito pelo contrário. Até hoje tenho gravada a frase de um professor de matemática que por conta da minha personalidade, digamos, rebelde, quis profetizar meu futuro: "Pessoas como você nunca farão nada de bom na vida."

Eu iria provar que ele estava errado. E também que, ao fazer sucesso, você não diminui sua condição artística.

Tudo isso ficou muito claro quando assumi o cargo de diretor artístico da Virgin. Só que agora, como presidente, eu estava dando um pulo para o outro lado do balcão. Uma oportunidade que encarei feliz, pois queria saber o que existia do outro lado.

Não participava mais do processo, com a mão diretamente na massa, como muitas vezes fiz como diretor artístico, produzindo, gravando. Agora eram planilhas – fui até estudar Excel –, *budget*, orçamento. Não era mais (apenas) ter o *feeling* se aquela música ou artista tinha condição de virar. Mas tratar a música como um produto. As reuniões passavam a falar de projeção de vendas, projeção de investimento e, ao final, projeção de lucro.

Apesar de escolherem caras para essa posição contando também com o faro artístico deles, a paixão tinha que deixar de existir. Você precisa passar a enxergar as possibilidades.

Não tem exemplo melhor do que a dupla Pepê & Neném.

Estava na minha sala e a recepcionista perguntou se eu poderia receber duas meninas, que o porteiro do prédio, Manoel, tinha dito que estavam na recepção e que cantavam demais.

Como a situação era inédita, pois o porteiro nunca havia tomado uma iniciativa dessas, mandei subirem.

Aí entram duas meninas gêmeas e fomos para a sala de reunião, que era um daqueles espaços ostentação de escritório – mesa de mármore para 20 pessoas e vidraças gigantes com vista para a Marginal do Rio Pinheiros – e pedi para elas cantarem.

As duas começaram a mandar Whitney Houston no inglês "embromation". Apesar de ser engraçado, elas cantavam de verdade! Os timbres das vozes eram lindos e as duas eram super carismáticas.

Resolvi fazer uma audição com elas para o escritório inteiro. Todo mundo foi lá e adorou a dupla, aplaudiram muito e o escambau.

Nem sabia a história de vida das duas, que eram do Irajá, na Zona Norte do Rio. Elas tinham mais cinco irmãos e perderam a mãe quando eram muito pequenas. Teve um histórico barra-pesada de violência do pai e as duas – que se chamam Potiara e Potiguara – fugiram de casa com 16 anos e foram morar na rua. Na época, cantavam nas portas de lojas em troca de comida.

Naquele dia, falei que ia contratá-las.

Como o Arnaldo Saccomani estava numa maré de poucos trabalhos, chamei-o para produzi-las, já que era uma forma de gratidão por toda a força que ele já havia me dado. Fiquei como coprodutor e com a direção artística.

Montamos repertório, gravamos e ficou bem legal. O Chico Silva, que era divulgador na Virgin, levou para a produção da Xuxa e ela e a Marlene Mattos adoraram as duas. Elas começaram a ir ao programa dela e a outros programas, faziam umas imitações de Michael Jackson e, principalmente, cantavam muito bem. Explodiram. Deu rapidamente disco de ouro, 180 mil cópias foram vendidas e acabou sendo um dos lançamentos mais lucrativos da gravadora, já que o custo de produção foi baixo.

Aí você me diz se isso é arte ou não.

Outro lançamento, dentre os mais lucrativos da história da gravadora, foi ET e Rodolfo.

Estava vendo TV um dia e eles apareceram. Achei os caras muito engraçados e lembrei da história do Jordy, aquele garoto francês que com 4 anos estourou com uma música em que ele balbuciava uma meia dúzia de palavras, "Dur dur d'être bébé!" ("É duro ser um bebê!").

Falei com o Aloysio Reis.

– Mas o que você quer com eles? Vai fazer uma coletânea e colocá-los na capa? – ele perguntou.

– Não, não, vou colocá-los em estúdio para cantar. Eu montarei um repertório. Vai dar certo, você vai ver – respondi.

Foi um trabalho do cão para fazê-los cantar. Ou algo próximo disso. O axé estava fazendo sucesso, escrevi um axé para eles, fiz umas bases eletrônicas para o disco, montei tudo em *samplers* e lançamos. Virou disco de platina. Com 250 mil cópias vendidas foi um dos melhores negócios do ano na EMI.

Poderia ser considerado uma arte menor pelo fato de ter sido assim? Deixo a resposta para você. O que sei é que eu tinha bagagem para gravá-los, faro artístico para juntar aquilo como produto e tinha ouvido muita coisa bem-sucedida para chegar aos discos que fizemos.

Se fizer essa pergunta para críticos musicais vão dizer que não, que é armação, sei lá o quê. Mas, para falar a verdade, eu nunca dei a menor bola para a crítica. Desde o episódio com o Lagoa, se eu já não me importava muito, essa relevância do que a crítica achava baixou para mim a um nível abaixo de zero.

Sei que minha personalidade criava um bom personagem midiático. Como não tinha papas na língua e sempre emiti minha opinião sincera, era fácil gerar polêmica com frases ou entrevistas minhas. Também dava minhas patadas, que, na verdade, era mais uma autodefesa com grande dose de ingenuidade. Não tinha a tranquilidade que tenho hoje nem a tarimba de ser mais malandro para não me expor tanto.

Mas ali era uma virada completa de chave. Eu era agora o executivo da gravadora, o presidente. Não cabia mais aquele comportamento nem decisões subjetivas.

Fiquei quase quatro anos nessa posição, com vista privilegiada para tudo o que acontecia por dentro e por fora do mercado musical. Você vira 100% executivo e é óbvio que sua rotina se torna burocrática. Passa a administrar uma equipe de mais de 100 pessoas de divisões variadas como marketing, jurídico e financeiro.

Dentro disso, tem que fazer orçamento, administrá-lo, economizar, lidar com vendedores, com lojistas e aprender na marra tudo o que é do *business*. Se quebrava uma cadeira no andar, eu tinha que cuidar. Praticamente uma faculdade de administração de empresa grande.

Fora isso, tem o lado cruel de toda corporação, que são os inimigos ocultos. Sempre tem um cara de olho na sua cadeira, e que vai fazer de tudo para te derrubar. Quanto a isso eu estava escolado. Mas novidade mesmo, para mim, era trabalhar com produtos que já vinham prontos do exterior.

Se na posição de diretor artístico eu tinha a oportunidade de mexer no produto enquanto ele estava em desenvolvimento, gravando e produzindo, como presidente eu recebia o pacote pronto e embalado: este é o disco, este é o single, se vira pra chegar em tal vendagem.

Isso com os artistas internacionais, já que do *casting* nacional eu ainda escolhia.

Só que era muito claro para alguém inserido na indústria nacional, quais escolhas de *single* funcionariam melhor no Brasil. Então eu dava uns dribles nas orientações que vinham de fora. Recebia o *single*, se achasse que outra música renderia mais no Brasil, mandava o clipe da música apontada por eles para a MTV e, na hora de vender o artista na rádio, eu indicaria a outra.

Caso clássico disso aconteceu com Lenny Kravitz. Estávamos lançando o álbum 5, e a música de trabalho escolhida lá fora foi "I Belong to You". Uma balada que até era bacana, mas o disco tinha "Fly Away". Encanei que aquela canção precisava ser o *single* e fiz o processo de mandar o clipe para a MTV e outra música para a rádio. "Fly Away" começou a bombar nas rádios, a Peugeot escolheu a música para um comercial e o disco ganhou ouro rapidinho. Foi o primeiro disco de ouro dele no Brasil, apesar de ele ter lançado 4 álbuns antes desse, sendo que ele já tinha um bom nome por aqui por causa de músicas como "Rock and Roll is Dead" e "Are You Gonna Go My Way", dos trabalhos anteriores.

Depois a música estourou no mundo inteiro, mas foi ela que fez ele "aparecer" no Brasil, e por causa disso agendaram shows dele por aqui. Só que ele arregou, na última hora, por medo de avião.

Esse foi um caso atípico em um cenário que era atípico. Estava aí meu maior desafio. Os gringos olhavam o tamanho do mercado brasileiro, o país ficava brigando com o México pelo quarto lugar entre os de maior vendagem de discos – o trio líder é tradicionalmente Estados Unidos, Inglaterra e Japão –, via todo o catálogo vendendo no mundo inteiro, mas aqui quem se dava melhor eram velharias tipo Genesis e Peter Gabriel. Eles estavam certos.

As metas começaram a vir apontando lá para cima. Por ingenuidade, aceitei os desafios nas reuniões no exterior. Chegava aqui, ia falar com os caras de vendas e ouvia as mesmas desculpas: "esse artista ninguém conhece aqui", "esse aqui não vende", "Spice Girls são conhecidas aqui só porque uma delas apertou a bunda do príncipe Charles" (isso realmente aconteceu), "boy band não funciona mais no país".

Poderia ver apenas esse lado da história ou poderia olhar também para o fato de que tínhamos um catálogo dos sonhos. Além da Virgin, havia também o catálogo da Jive Records, que era, na minha opinião, a segunda melhor gravadora do mundo pop, só atrás da Def Jam. Podiam me dar a desculpa que fosse para não ter virado ainda, mas com esses artistas na mão eu mesmo sentia a obrigação de fazê-los virar.

A relação que eu tinha com radialistas ajudou pra cacete. Não dá para esconder que foi a última época romântica... digamos... da música. Eu era o presidente da gravadora, poderia convidar todos os radialistas que eu quisesse, chamar um monte de garotas de programa, assinar uma nota e pronto. Isso acontecia e acontece até hoje. Mas, de qualquer maneira, eu tinha estabelecido uma parceria com radialistas e isso ajudou muito.

Voltei do exterior com a obrigação de vender 500 mil cópias das Spice Girls. Quando acertamos com elas, e a curva de vendas virou para cima, foi um efeito dominó – Britney Spears estourou, e, na sequência, o restante dos artistas da Jive, que eram os melhores rappers e boy bands do mercado, como os Backstreet Boys. Só não tínhamos o N'Sync, que, por um vacilo deles, foi parar na BMG.

Em um curto espaço de tempo atingimos 70% das metas e, mais importante, batemos os números de vendagem, que era algo como 300 mil discos por mês. Em março de 2000, foi o recorde histórico da gravadora aqui – fechamos com 500 mil discos vendidos, quantidade que superou pela primeira vez os números da EMI no Brasil, que tinha muito mais tempo de rodagem e um catálogo bem maior. Fizemos até uma camiseta comemorativa.

Só que existem coisas que nem com o melhor trabalho do mundo você vai conseguir fazer virar.

A primeira é o desprezo do público brasileiro por artistas latinos, que cantam em espanhol. Não sei se é por sermos uma ilha de língua portuguesa cercada por países que falam espanhol por todos os lados, mas não sei de onde vem essa birra. Só sei que não rola.

Tinha um cantor chamado Carlos Vives. O cara era número um na Colômbia, bonitão, vendeu milhões na América Latina toda, tinha um *single* muito bom, "Fruta Fresca", o pacote completo. Mas não virou de jeito nenhum por aqui. Quando fiz uma versão em português dessa música, uns anos depois, com o Br'oz, estourou. Daí dá para se tirar a birra do público brasileiro com quem canta em espanhol.

E a segunda coisa que é impossível fazer virar é o artista que nasceu para ser derrotado. Pode ter investimento, planejamento, o cara pode ser bonito, mas simplesmente não acontece. É inexplicável. Você pode dizer que ele não tem bagagem espiritual, cármica ou sei lá o quê. Fato é que não rola – o cara não foi feito para fazer sucesso.

Não adianta nem tentar dobrar o público, pois este é cruel. O público geral normalmente é composto por pessoas que não sabem optar por um artista predileto, que votam em artistas errados em realities shows, mas que intuitivamente respondem quando uma coisa vai de encontro ao sucesso, quando um artista é feito para se dar bem.

Quando lancei o Charlie Brown Jr. tinha duas rádios onde eles poderiam tocar, a 89FM e a Jovem Pan, ambas ancoradas em São Paulo. Na 89 tudo rolou legal, mas na Jovem Pan, o Tutinha, figura excêntrica e dono da rádio disse que se recusava a tocar. "Charlie Brown é uma merda, prefiro Planet Hemp e vou tocar o que acho melhor." Quebramos o maior pau.

Peguei todos os recibos de promoção que a Virgin havia feito na Jovem Pan, rasguei tudo e mandei para ele, por motoboy, junto com um recado de que iria quebrar a cara dele.

Foi feia a briga. Liguei para ele e falei um monte pelo telefone. Só que um tempo depois, o público começou a pedir loucamente o Charlie Brown e ele teve que tocar, sem que a gravadora pagasse um centavo de promoção.

Fora que ele tirou todos os artistas da Virgin da programação, mas teve que tocá-los depois de um tempo, do mesmo jeito, sem promoção, pois havia tantas solicitações por Spice Girls e Britney Spears, que seria impossível a rádio ignorar isso.

Dentro das gravadoras haviam alguns números que criavam patamares matemáticos para se avaliar como o artista tinha ido. Se o cara vendesse suas 100 mil cópias, chegasse a disco de ouro, tinha sua vez de sentar no trono do sucesso. Se o cara beirasse os 70, 80 mil, ainda tinha uma chance, com devidos ajustes. Vendagem baixa poderia significar a mesma coisa – comercializamos apenas 5 mil discos de fulano, talvez não tivéssemos trabalhado bem o artista. Mas o pior número era o de 30 mil. Se o cara vendeu 30 mil era aquela coisa de um olhar para o outro e dizer: "Xiiiii". Algo como "esse aí não vira nem com reza brava".

É mais ou menos como a pessoa, depois de um ano, ter um clipe com uns 400, 500 mil *views*. Se o clipe passou de um milhão, dois milhões, venceu uma etapa. Se foi baixo o número de cliques, talvez não tenha sido trabalhado direito. Mas uns 400 mil mostram que um monte de gente foi lá, assistiu e não voltou.

Caso clássico da impossibilidade de dobrar público e sina negativa de artista foi uma banda que contratamos chamada Vagabundos. Era um grupo meio que de axé, tocavam direto no Avenida Club, em São Paulo, que era uma casa para 1.000 pessoas. Era sempre *sold out* e espremiam 1.200 pessoas lá, a cada show. Contratamos, gravamos com a ideia da equipe de vendas de que era algo que estava ainda num território *underground*, mas com potencial de mudar de categoria e arrebentar. Lançamos, promovemos e tocou na rádio. Adivinhe quantos discos o grupo vendeu?

Exatamente 1.200. Dá para dizer que cada uma daquelas pessoas que iam ao Avenida Club comprou um disco e ponto.

Parece meio filosófico até, mas a verdade é que não existe verdade absoluta na música. Mesmo tentando me municiar de planilhas, números, projeções, sempre vai ter o elemento imponderável no meio do caminho.

Quem me deu de certo modo essa lição na prática foi o Richard Branson, o presidente mundial da Virgin. O cara é um puta louco que já tentou dar a volta na Terra em um balão, tentou quebrar recordes de velocidade em travessia de oceano em veículos anfíbios, e mais várias coisas desse tipo.

Ele armou uma convenção mundial da gravadora em uma praia paradisíaca em Manzanillo, no México. Todo dia era balada e todo dia tinha um show, do naipe de Chemical Brothers, Daft Punk, Lenny Kravitz. Era um lance bem de filme. A mulher do sócio dele, o Ken Berry, uma modelo, nadava pelada e ia transar com o Lenny Kravitz. Iate, castelos, drogas, doideira. Tinham também as apresentações de cada presidente dos países ali representados.

Numa das noites, eu fiquei ao lado do DJ que estava tocando. Estávamos trocando uma ideia, quando o Richard Branson chegou perto da gente. Veio me cumprimentar, dizer que tinha gostado da apresentação que eu havia feito do mercado brasileiro, naquela tarde, e eu já comecei a me preparar mentalmente puxando pela memória números, argumentos, projeções, resultados, para a conversa. Aí ele me fala:

– Mas e aí? Você está se divertindo? É muito legal esse lance de ser presidente de gravadora, meio que escolher o que vai fazer sucesso, né?

Respondi que sim, claro, tentei entrar numa área mais corporativa da conversa e ele me deu um corte de leve, deixando clara a filosofia do negócio. "Legal. Mas o importante é que você esteja se divertindo."

– Tá legal. É para se divertir? Então deixa comigo – respondi.

Ele riu, eu ri e fui justamente me divertir mais.

Era o que eu acreditava também. A gente conseguiu faturamento alto para a gravadora com os internacionais. Simplesmente porque era a porta que abríamos para descobrir e investir em artistas nacionais. Assim, lançamos Charlie Brown Jr., Tihuana, Deborah Blando, Moraes Moreira, Rodolfo e ET, Vanessa Rangel, além de Pepê & Neném, Art Popular e vários outros.

Só que em 2000 começou uma época de fusões das empresas do grupo. A lei antitruste, para evitar monopólios, pega forte lá fora e recebi um e-mail enorme do presidente mundial da Virgin dizendo que passaríamos por um período de pelo menos um ano de adaptação em que eu não poderia fazer investimentos, contratar artistas novos e ter paciência até que os ajustes fossem feitos.

No mesmo instante, por mais benefícios e por melhor que fosse o meu salário, decidi pedir demissão. Não existia um cenário em que eu ficasse um ano completamente afastado do mercado, sem buscar ou contratar ou trabalhar artistas novos. O cara estava pedindo para colocar a empresa na banguela. Isso é algo que não saberia lidar. Sugeriram até, internamente, que eu aproveitasse para relaxar mesmo, receber salário e ir viajar. Mas nem a pau ficaria parado.

Além disso, o mercado inteiro começou a temer o universo digital e surgiram uns *guidelines* muito burros. Só poderia comercializar arquivos em WMA (Windows Media Audio), pesados pra cacete, com DRM (Digital Rights Manager), um componente que evitava que o arquivo fosse reproduzido, copiado, e, pior de tudo, não tocava em iPod, que começava a bombar. E nessa época o MP3 estava estourando.

Liguei para o Aloysio e pedi para encontrá-lo no Rio. Sentei com ele e falei exatamente o que pensava. Ele me respondeu que entendia, que se fosse novo como eu faria a mesma coisa e me desejou sorte. Eu tinha ainda uns anos de contrato, que encerramos com um bom acordo, e voltei para o Midas, que havia estreado com o Smashing Pumpkins e estava à toda.

O Midas era praticamente o estúdio da Virgin, pois todo mundo gravava lá. O Carlos Duttweller administrou por uma época, depois o Mauricio Carlão e, na sequência, o Lampadinha, que é uma figura muito importante na história do estúdio, que ajudou a construir o padrão do Midas.

Meu segundo filho, o Leonardo, era recém-nascido. E pouco tempo antes de eu pedir demissão da Virgin, o meu divulgador de rádio na gravadora, o Marcus Cesar, conhecido como Alemão, deixou um CD na minha mesa que havia recebido de um amigo em comum, o Juan Pastor, que era da 89FM.

Era a demo do CPM 22, *A Alguns Quilômetros de Lugar Nenhum*. Peguei, coloquei no bolso, levei para casa e coloquei para rodar no aparelho de som que eu tinha no banheiro – começou a tocar "Regina Let's Go". Por causa do barulho do chuveiro, eu não entendia exatamente o que o cara estava cantando. Mas soava como Clash, Stiff Little Fingers, Sex Pistols, as bandas que eu gostava na época do punk.

Tirei a cabeça para fora do box e só aí percebi que o cara, Badauí, estava cantando em português, mas na mesma métrica que essas bandas gringas – soava como inglês, mas em português. "Isso vai bombar", pensei.

Foi a primeira contratação da gravadora que eu montaria na sequência, a Arsenal Music.

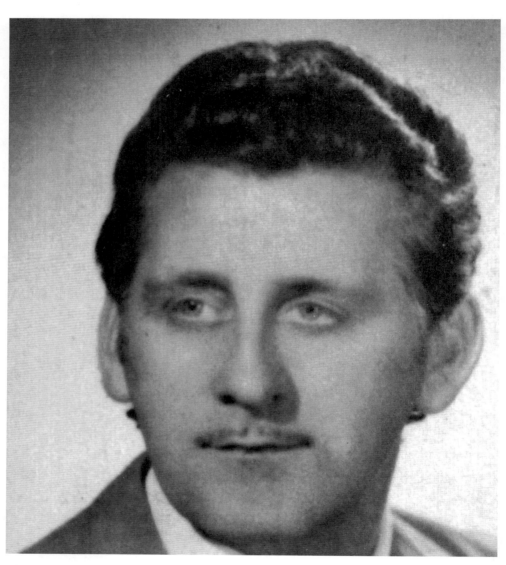

MEU PAI, NELSON BONADIO.

Capítulo 7

AINDA TRABALHAVA NA VIRGIN, em 2000, quando um dia, logo cedo, recebi uma ligação no Midas, onde tinha ido para checar uma mixagem que estava fazendo. Estávamos o Paulo Anhaia, como técnico e produtor, e eu preparando a mesa de som quando a recepcionista do estúdio me chama e fala que um delegado queria falar comigo.

– Ricardo Bonadio, o senhor é filho de Nelson Bonadio?

– Sim, sou eu.

– O senhor pode vir aqui, até a delegacia? Pois encontramos seu pai morto. Ele e o seu irmão Rafael foram assassinados em um assalto.

Não teve nem preparativo para a notícia. Ele falou direto, na lata. Pá.

Voltei para a sala. Sentei, contei para o Paulo, com quem trabalho até hoje, e ficamos um tempão mudos. Não tinha o que falar. Vieram as pessoas que trabalhavam no estúdio, para me consolar.

Foi um choque de realidade que tive ali do que é morar em São Paulo. Poderia tranquilamente ter sido eu no lugar do Rafael, meu meio-irmão, filho de outra mãe com meu pai. Ele tinha 15 anos, e era o que meu pai havia feito comigo quando eu tinha mais ou menos essa idade, quando ele me levou para trabalhar junto com ele.

Eles chegaram na mesma loja que eu havia trabalhado, no bairro do Pari, e, quando foram abri-la, não se sabe até hoje o que aconteceu. Só sei que meu pai levou tiros no peito, na cabeça, e o meu irmão também levou dois ou três tiros.

Foi um baque muito forte, pois quando decidi parar de trabalhar com ele deu aquela afastada natural, ele falou que não me daria mais grana e que eu teria que me virar sozinho. Só que meu primeiro estúdio, na Rua Pedro, ficava a uma quadra de distância da casa dele, na mesma rua.

Começamos a ter um ritual de todo domingo à noite eu fechar o estúdio – já que quase ninguém queria gravar àquela hora – e ir para a casa do meu pai e ficar uma ou duas horas com ele, conversando, enquanto ele assistia aqueles programas de variedades na TV.

Já havia resolvido o lance de eu não ter seguido o caminho dele, e sim o meu, e ele falava: "Na hora que você resolveu parar de trabalhar comigo fiquei bravo. Mas hoje vejo que você fez o certo em seguir seu próprio caminho." Sei que quando o Mamonas explodiu, ele ficou todo orgulhoso. As pessoas chegavam na loja dele e ele comentava de mim.

Depois disso, o domingo à noite se tornou um lance muito pesado na minha vida. Durante anos foi como um despertador de que aquele lance que nós tínhamos toda semana nunca mais aconteceria. Até hoje bate uma coisa estranha a essa hora.

Outro ponto que doeu muito foi que eles faleceram em janeiro e meu pai não chegou a conhecer o meu segundo filho, o Leonardo, que nasceu em abril.

Na época eu já atirava. Meu pai havia me levado pela primeira vez para atirar quando eu tinha uns 15 anos. Entrei em uma onda de "isso não vai acontecer comigo". Não iria passar por aquilo, e comecei a andar armado.

Demorou um tempão para sair a licença de porte, uma burocracia enorme. Enquanto isso, fui até o Clube Tietê e procurei o Durval Guimarães para ter aulas. Ele tinha sido medalhista olímpico de tiro e falou que meu perfil era o tiro prático, em que os alvos não são estáticos e o competidor se movimenta pela pista. O alvo em papel ou metal também se mexe, o que pede mais agilidade.

Isso virou hobby, comecei a competir, fui campeão paulista e brasileiro duas vezes de tiro prático. O esporte virou paixão e, quando saí da Virgin e resolvi montar minha gravadora, dei o nome de Arsenal, justamente por essa paixão por armas e por carregar um significado forte e simbólico. O logo era o fundo de uma bala. Funcionou muito bem como marketing.

Ainda na Virgin, eu tinha recebido a demo tape do CPM 22 e gostado muito. Queria contratá-los para a gravadora, mas, quando saí de lá e voltei para o Midas e para os planos de abrir a Arsenal, vi uma chance de fazer algo que era voltar a ser empresário de bandas, contratá-los, gravá-los, vender shows e participar do negócio todo. Essa era uma prática que ainda não existia no mercado e que depois, com a queda das vendagens de discos, todas as gravadoras começaram a fazer.

O Midas estava gravando muita gente legal, sertanejo, pagode, samba – tinha o Daniel, Belo, o saudoso maestro Lincoln Olivetti para o Negritude Júnior. Mas eu sentia que algo estava para acontecer no rock. Isso ficou mais forte com o CPM, pois nunca tinha ouvido uma banda punk brasileira cantar em português e conseguir pegar aquele espírito do gênero original que era a composição em inglês.

Atrás da demo tape tinha um telefone, do Wally, o guitarrista. Liguei e pedi para falar com ele. A mulher que atendeu disse que ele estava dormindo, apesar de ser umas 17h. Deixei recado e, depois de um tempo, ele me liga todo desconfiado.

– Rick? É o Rick? Mas... e aí? Rick, o produtor?

Chamei-os para conversar e ele falou que tinha certeza que era alguém passando trote para sacaneá-lo. Conversamos, contei minha ideia para eles e os contratei.

A Arsenal ainda não existia de fato. Mas eu sabia que dava para colocar a ideia em prática, independente disso. O que sempre vale na música é o conteúdo – o repertório e o artista. Não importava o que acontecesse com o mercado, se estava um cenário promissor ou não (não estava, pois começava o lance de ninguém saber trabalhar a música digital diante dos programas tipo Napster da vida).

O que eu tinha e tenho convicção é que se você tiver um sucesso na mão é isso que vai fazer a diferença. Não importava o resto. Isso me guiou ao montar a Arsenal: ter obrigatoriamente repertório, artista bom e música boa; o resto, com trabalho, eu faria acontecer e a empresa seria bem-sucedida.

O CPM eu sabia que tinha isso. Comecei a gravá-los e depois veria onde os encaixaria. Enquanto o processo rolava, surgiu uma gravadora independente nacional, a Abril Music. Eu conhecia o Marcos Maynard, que era presidente da Abril, do meio musical. Ele era um cara muito grande no negócio, tinha tornado a Polygram, que depois virou Universal, a gravadora número um do Brasil, e por causa disso havia sido levado para tocar a gravadora no México – ele carregava um currículo de sucesso.

Peguei o CPM 22 embaixo do braço e fui mostrar para ele, que adorou a banda.

Chegamos a um acordo em que eu gravava os caras, era empresário, vendia shows e a Abril distribuía e fazia o marketing para que o artista tocasse.

No acordo, dividia parte da venda dos discos com a Abril. Quando uma gravadora distribui, geralmente fica com 30% da vendagem, e o dono do selo com 70%; mas como eles faziam o marketing nosso acordo ficou 50% para Abril e 50% para a Arsenal.

Dois selos faziam esse negócio com a Abril, mas de maneiras diferentes. O João Augusto havia aberto a Deck, ao sair da EMI, só que ele era *old school* e não acreditava que dava para misturar empresariamento com gravação e lançamento. Então eles usavam apenas a distribuição da Abril.

O CPM 22 rapidamente virou. O primeiro *single*, "Regina Let's Go", estourou. Veio "O Mundo Dá Voltas" e em pouco tempo virou disco de ouro. O Maynard até brincava comigo na época: "Pô, você é bom nisso, hein? Primeira bola e já meteu logo na caçapa."

Lembro que no começo vendíamos os shows do grupo por uns R$ 3 mil. Os *singles* foram estourando, os pedidos para shows aumentando, até que multiplicamos por 20 o cachê dos caras.

Fiquei bem na Abril e comecei a levar outros artistas para lá. O CPM tinha crescido em uma casa de shows tradicional da música alternativa de São Paulo e, principalmente, do punk, o Hangar 110. Fiquei amigo do dono da casa, o Alemão, e quando tinha alguma banda boa e promissora para se apresentar lá, ele me ligava e dava a dica.

A Arsenal era uma sala dentro do Midas. Dividíamos o espaço o Helio Leite, eu e o Tiago Endrigo, que era um garoto recém-formado em direito e que queria se especializar em direitos autorais. Era época do Orkut e comecei a usar as redes sociais para que as pessoas me encontrassem mais facilmente.

Lembrava que quando comecei, o mais difícil era chegar em quem importava. Diretor artístico era uma figura intocável, o que não fazia o menor sentido na minha cabeça. O cara era contratado justamente para ser acessível, ouvir bandas e descobrir talentos. Mas não. Então fiz o caminho inverso, fui para o Orkut e ficava aberto a quem quisesse falar e mostrar o trabalho.

Era engraçado porque todas as bandas chegavam com o mesmo discurso: "Rick, desculpe incomodar mas queria mostrar nossa demo...". Porra, era o que sonhei a vida inteira – estar acessível para descobrir artistas novos.

Uma espécie de missão importante que recebi nessa época foi a de gravar a Luiza Possi.

Um dia, o presidente da Indie Records, Líber Gadelha, me chamou para uma reunião no Rio. Chegando lá, falou de um grupo de pop rock que ele tinha contratado e que queria que eu produzisse, o LS Jack. Combinamos, acertamos tudo, mas ele disse que tinha outro artista que queria que eu produzisse.

Chamou a Luiza, e ela novinha, linda, entrou na sala; ele a apresentou e falou:

– É a minha filha com a Zizi [Possi]. Ela está começando, tem potencial e quero que você trabalhe com ela.

Poxa, o cara havia sido diretor artístico da Sony, a gravadora que fundou estava indo bem, e mesmo assim entrega a filha para eu trabalhar! Era uma responsabilidade considerável.

Fazer o disco foi outra escola. Ela tinha todo o peso de ser filha da Zizi Possi e tentar seguir caminho próprio. Compus com ela, foi um trabalho bem profundo de lapidação e fizemos um disco superlegal, o primeiro dela. Até hoje, a música "Dias Iguais", desse disco, é um dos maiores sucessos dela.

Naturalmente, quando você mantém os canais abertos, oportunidades começam a aparecer. Além dos grupos – uma safra muito boa, aliás –, fui procurado para compor o primeiro reality show musical na TV brasileira, o *Popstars*.

Era um formato muito legal. O original era da Nova Zelândia, depois se espalhou por 30 países e, quando chegou ao Brasil, veio com a ideia de formar um grupo pop feminino.

Fui chamado para uma reunião na Sony, contaram do programa e disseram que queriam que um dos jurados fosse produtor para tocar as gravações com o grupo, além de participar da bancada. Disseram que na Argentina haviam feito no mesmo formato, recentemente, e tinha sido formado o grupo Bandanas, que era o número um no país.

Estavam na reunião o Liminha, que era vice-presidente artístico da Sony Music, o José Antonio Éboli, presidente da gravadora, e a Elisabetta Zenatti, que era a diretora geral da RGB, empresa que fazia muitos programas de sucesso para o Disney Channel, além de outros como Chiquititas e Floribella.

Os jurados seriam, além de mim, o Alexandre Schiavo, que era diretor de marketing da Sony e mais tarde virou presidente, e a Iara Negrete, que foi sugestão minha, pois era uma cantora incrível e serviria de preparadora vocal para as meninas. O programa aconteceria e seria exibido quase em tempo real pelo SBT, durante seis meses. O disco, aliás, seria gravado durante o programa, pois tinha um cronograma absurdo de lançamento, logo que o *Popstars* acabasse.

Lembro da primeira audição, que aconteceu no Sambódromo, em São Paulo. Um sol de rachar, ficamos das 9h da manhã às 16h fazendo testes, sem pausa nem para ir ao banheiro, pois haviam aparecido 40 mil garotas com o sonho de serem descobertas.

Ficava uma banda no palco, a gente com pranchetas avaliando e um mar de meninas esperando a vez para se apresentar. Foi aquela doideira de menina colocando telefone no meu bolso, tipo: "Me aprova aqui e nos encontraremos à noite."

O astral todo do programa foi muito bacana. Não acabou virando o que se tornaria meio que padrão dos realities musicais por aqui, que fazem sucesso no começo com os testes bizarros e o programa se torna uma espécie de comédia. Era tudo muito sério, profissional, principalmente pela linha-dura que a Elisabetta fazia questão de manter.

É engraçado porque isso contaminou a participação de todos. Eu assisto hoje algumas coisas do *Popstars* e rio, porque me tornei um cara super sério no programa, já que tinha função dupla, de julgar e gravar as meninas.

Esses seis meses foram uma pós-graduação e doutorado da função de diretor artístico que já tinha exercido. Eram testes e mais testes e as decisões precisavam ser tomadas sem vacilo. Sua capacidade de julgamento vai ficando tão afiada, que trago isso até hoje dentro de mim.

Lembro muito bem das audições das cinco meninas que acabaram formando o Rouge, grupo que nasceu do *Popstars*. A Aline

(Wirley) chegou muito humilde, mas com personalidade forte; a Patricia (Lissah) havia acabado de fazer 18 anos e até desconfiamos que estava mentindo, pois tinha cara de criança ainda; a Fantine (Thó), que era muito bonita e dançava pra caramba; a Karin (Hils) naquele jeitão malandra carioca, e até mandei ela cantar um funk; e a Luciana (Andrade) que cantava absurdamente, uma das melhores que ouvi na vida.

O Schiavo fazia o papel do simpaticão, o cara da gravadora; a Iara, como *coach* vocal delas, se tornou uma espécie de madrinha das garotas; tinha o Ivan Santos, que fazia as coreografias; e eu, no papel mais linha-dura.

Não tinha intervenção do público na escolha, a Elisabetta opinava com olhar clínico de diretora, o Éboli participava opinando também, mas a decisão era de nós três, os jurados. Tanto que o Liminha, que era coordenador dos jurados, uma vez ficou bravo com a eliminação de uma menina, quis que voltássemos atrás, bateu de frente com o Schiavo e no fim acabou dançando na gravadora.

O programa era muito bem amarrado. Tanto que chegou a dar 18 pontos de Ibope, o que para o SBT era uma enormidade. Normalmente era gravado com uma frente mínima – na maioria das vezes, não dava uma semana entre a gravação e a exibição.

A final foi gravada dois dias antes da exibição, para que não vazassem as vencedoras. E como o disco seria lançado em torno de duas semanas após o fim do programa, gravei com oito ou nove meninas para depois me virar na mixagem com as cinco ganhadoras.

Durante os seis meses, as meninas se encaixaram de maneira que deu a química que queríamos, pois não era apenas uma coisa de talento vocal ou como dançarinas. Era um programa para formar uma banda de popstars. Dentro disso, os únicos atributos não são profissionais. Existe um tempero de personalidades, por exemplo, que não dá para se criar, por mais que a menina cante ou dance muito. E isso tinha que acontecer harmonicamente entre as cinco. Elas precisavam cantar, dançar, ter estrela e carisma.

Nós demos outra sorte grande com a questão estética. Pois, apesar de não entrar na conta da eliminação, a questão estética diversificada é importante para a formação de uma girl ou boy band. Do jeito que escolhemos, poderiam ser três morenas, uma loira e uma negra ou qualquer formação que você imaginasse. Não esperávamos que aparecesse uma japonesa como a Patricia, que tivesse tanto carisma e cantasse como se fosse a Mariah Carey. Nem que duas negras com personalidades diferentes, mas talentos iguais, surgissem, como a Aline e a Karin. Ou mesmo que duas loiras tão bonitas pudessem ser tão talentosas como a Fantine e a Luciana. Mas rolou.

Rolou tanto que no sábado passou a final e já na segunda a música estava tocando na rádio. Foi um puta sucesso. O disco vendeu dois milhões de cópias, rapidamente, e foi o segundo disco de diamante da minha carreira.

A ideia era certeira. Não era para ser algo brasileiro ou roqueiro, era para ser pop, pop, pop. Tanto que logo ficaram conhecidas como as Spice Girls brasileiras.

Lançamos "Não Dá pra Resistir" como *single* e foi superbem. Quando "Ragatanga", que era uma versão do grupo Las Ketchup, foi lançada como música de trabalho, a avalanche aumentou.

Nesse primeiro disco fui produtor. No segundo, *C'est La Vie*, do ano seguinte, participei de tudo: gravação, produção e como empresário. No total, a banda durou quatro anos, fez quatro discos, vendeu quatro milhões de cópias e só terminou porque o contrato com a Sony encerrou e elas quiseram seguir carreira solo.

A seleção do Rouge, além de aprimorar meu faro na seleção e na percepção de quem nasceu e de quem não nasceu para o sucesso, deu uma boa amostragem do mundo artístico. Se pensar no universo de pessoas que querem seguir caminho artístico, diria que de cada 1.000, uns bons 50% definitivamente não nasceram para isso. Desses 500 que sobraram, uns 400 têm um potencial a se desenvolver e não dá para falar exatamente onde darão. Sobram 100 acima da média, e pelo menos 90 com potencial para serem bons cantores ou músicos. Ficamos com 10 com real potencial de fazerem sucesso de verdade. Aí é uma peneira de público e de como se é trabalhado esse potencial, tanto pelo artista quanto por quem o assessora ou empresaria.

O negócio maluco da TV – ou um dos negócios malucos da TV – é o tamanho da exposição que ela te dá. Só quando você está com um programa no ar e vai para a rua tem a noção disso. Já havia feito todo aquele sucesso com os Mamonas, mas bastou ir ao ar para eu começar a dar autógrafos feito um louco.

Não tinha toda essa onda de celular com câmera fotográfica, mas era uma quantidade de autógrafos que me pediam de doer a mão. Você passa um pouco para a posição de artista e o tanto de mulher que aparece, vou dizer que é bem interessante... Pelo menos por um tempo.

Tinha evento do Rouge que eu dava mais autógrafos do que as meninas. Claro que isso só dura enquanto o programa está no ar. Mas como eu estava acostumado com essa efemeridade da fama, não me preocupava muito com isso.

Com a Arsenal trabalhando intensamente com o Rouge, veio o convite para fazer o *Popstars 2*, desta vez para revelar uma boy band. Imaginamos, claro, que faria o mesmo sucesso.

O processo aconteceu da mesma forma, e foi tão bem na TV assim como foi com o Rouge. Lançamos o disco da banda que se formou, o Br'oz, e começou a tocar bem nas rádios. O primeiro *single*, "Fruta Fresca", era uma música do Carlos Vives, o colombiano que só não estourava no Brasil. O público da TV comprou o disco, que foi lançado com 250 mil cópias vendidas e chegou a 300 mil. Só que não emplacou quando fomos vender os shows.

Aí é que fui entender. O Rouge agradava mulheres, *gays* e o pessoal da noite, e também atingia muitas crianças. As meninas queriam ser o Rouge. Tanto que licenciamos de tudo, de batom a sapato.

Quando fizemos com os meninos, imaginamos que as meninas iriam se apegar, querer namorá-los, tê-los como sonho de consumo, só que não. Os meninos, naturalmente, não gostavam de boys bands, e não cativou o público gay.

As meninas, que eram a maior esperança, tinham como sonho de consumo os roqueiros, que estavam em alta no Brasil. Era o auge do rock como música pop no país. Grande parte desses roqueiros eram meus artistas. Ou seja, de certa forma me tornei o principal concorrente do meu próprio projeto.

COM CHORÃO, FECHANDO O REPERTÓRIO
DO DISCO *TAMO AÍ NA ATIVIDADE*.

Capítulo 8

NO MEIO DA EXPLOSÃO DO ROCK, no começo dos anos 2000, tinha dia que a Luka, que é uma locutora bastante conhecida em São Paulo, da 89FM, a rádio rock, me ligava e brincava: "Hoje o 'Rock 10' vai ser 'Rick 10'." O programa era uma sequência diária das 10 mais pedidas da rádio, e, das 10 músicas nacionais vitoriosas, todas eram de artistas da minha gravadora.

Na verdade, toda uma cena surgiu em torno da Arsenal Music. Não foi mágica. Já disse que não existe mágica nem truque no negócio musical. O principal fator foi estar atento à cena que se formava e era impulsionada pela internet.

Não precisava ser um gênio para perceber que o que estava para explodir por aqui era o rock, o hardcore melódico, que mais tarde viria a ser apelidado de movimento "emo" pela imprensa – apesar de não ser de fato emo, musicalmente. Era só estar ligado ao que acontecia lá fora. Com a internet, tudo ficou mais fácil.

Logo que recebi a demo tape do CPM 22 e fui conversar com os caras, eles disseram que tocavam no Hangar 110. Até então, conhecia a casa só de nome. Comecei a frequentar e vi que tinha uma cena muito forte acontecendo ali. Dá para comparar com o CBGB, o famoso clube de Nova York onde nasceu a cena punk norte-americana.

No caso, em São Paulo, era o hardcore melódico que estava acontecendo. Eram várias bandas tocando e lotando o Hangar 110 com minifestivais, geralmente uma sequência de três ou quatro grupos e muita gente em todos os shows.

Como já estavam explodindo as comunidades na internet, principalmente no Orkut, blogues e fotologs, dava para sacar que era muito movimentado o cenário. Não só em São Paulo, mas no interior do Estado, no Rio de Janeiro, Nordeste e Sul do País.

O CPM 22 era a mais bombada nesse meio *underground* do rock. O que dava para perceber é que existia uma força muito grande dos fãs. Quando uma cena vai acontecer, existe esse movimento. E estava tudo preparado, haviam os grupos, as casas onde tocavam, mas ninguém no *mainstream* tinha percebido isso. Fora eles, nenhum grupo da cena havia sido contratado. O que eu tinha certeza era que se o CPM 22 virasse, muitos da mesma turma virariam na sequência.

As gravadoras não perceberam o que estava acontecendo. Quando contratei o CPM 22 e a banda estourou, a galera das gravadoras deixou passar batido. Haviam muitas outras bandas que também tocavam nesses minifestivais ou em turnês conjuntas, e o esperado era que as gravadoras se atentassem ao fato e saíssem contratando para montarem o próprio *casting* de hardcore nacional. Só que essa manobra não aconteceu, demoraram muito para se mexer e fui contratando as bandas. Vieram depois o Hateen, NX Zero, Fresno, Strike, Hevo 84.

Essa movimentação dentro da Arsenal foi um caminho de duas mãos. Eu estava disponível e ouvia todo mundo, as bandas começaram a me procurar, mas eu também ia atrás, ia aos shows, pois queria contratar e empresariar artistas. Tudo aconteceu simultaneamente.

Ia aos shows, recebia as demo tapes e avaliava o que surgia de bom. Junto a isso, a internet estava crescendo e ajudando a trazer informações de maneira mais fácil. A Arsenal Music surgiu nesse cenário como um selo muito promissor, onde o marketing era: "A gente quer ouvir você."

Logo na sequência do CPM 22, começaram a surgir os que estavam no mesmo balaio e outros artistas muito bons que nem eram da cena. Como eu tinha estúdio à disposição, a gente fazia o A&R (artista e repertório) dentro do Midas. Como resultado, quase inesperado, muitas bandas se desenvolveram mais no estúdio do que no palco.

As multinacionais, que poderiam ter sido meus concorrentes, vacilaram, enquanto eu tinha a sorte de ser o cara que estava em São Paulo, pois, apesar de acontecer no Brasil inteiro, a grande força do gênero estava na cidade paulista. Os escritórios centrais das gravadoras estavam no Rio, o que dava margem para que essas não prestassem muita atenção ao que acontecia fora dos seus domínios.

Outro fator muito importante para consolidar a cena em torno da Arsenal, era que a gente conseguia fazer os artistas crescerem e saltarem do *underground* para o *mainstream*. O selo conseguia que os grupos tocassem na rádio e chegassem à televisão, mesmo em programas populares, tipo Faustão e Gugu.

A partir do momento em que cruzei a barreira do *underground* com um artista, quis fazer isso com outros. Foi uma decisão consciente. Minha forma de trabalhar era: contrato a banda, faço alguns shows, arrumo o repertório dos caras, levo para o estúdio e tiro um puta som. Conseguir fazer com que soassem como bandas gringas era o diferencial. Aí, no momento em que ia fazer o marketing, começava pelos veículos mais roqueiros e depois partia para o popular mesmo.

As bandas tinham uma grande preocupação – acertada, diga-se – de não fazer *playback*. Todos nós tínhamos medo de fazer *playback*, pois sabíamos que não existe a possibilidade de um grupo legal surgir fazendo isso. Rock é 50% letras e vocal e 50% energia. Você não conseguiria sentir um Charlie Brown Jr. em uma apresentação *fake*. Ou o NX Zero. Se você assistisse até os Rolling Stones fazendo *playback* iria achar uma coisa bem mais ou menos.

Para isso, a banda tinha que tocar bem. Era conceitual mesmo. Tanto que cheguei a contratar algumas bandas que não tocavam bem e, no fim, desisti de trabalhar com elas porque não davam certo.

Além disso, foi a primeira vez que experimentei a questão musical, ouvir artistas de qualidade legal, assistir a shows e acompanhar o calor pela internet. Até então não tinha havido nenhum movimento musical com participação ativa da internet. A Arsenal foi pioneira nisso.

Uma coisa importante de se colocar é que continuei com o Charlie Brown e o Tihuana durante esses anos de crescimento da turma do hardcore melódico. Virei empresário do CPM 22 e continuava como produtor dos outros dois. Com três bandas boas, eu fazia eventos grandes com eles. Até rolar a treta dos vocalistas, Badauí versus Chorão, usei esses eventos para trazer grupos novos também.

O que é muito louco na história é que a banda seguinte que contratei, logo depois do CPM 22, foi o Planta & Raiz, um grupo de reggae, que não tinha nada a ver com esse movimento. Eles me mandaram uma demo tape e o reggae era outro gênero que estava forte na internet. Quando os contratei, tinham uma música que já fazia certo sucesso, "Com Certeza", e um repertório muito bom. Gravamos, lançamos e bateu disco de ouro rapidamente.

Logo em seguida, conheci o Hateen. O Japinha tocava bateria nas duas bandas – CPM 22 e Hateen. Adorei o grupo, apesar de ser muito *underground*. Eles tinham umas coisas mais densas, umas composições em inglês. Conheci o Rodrigo Koala, que era vocalista da banda, e falei que eles precisavam fazer músicas mais acessíveis. Um dia ele me mandou uma chamada "1997". Achei que era um puta hit e lancei o Hateen.

Apesar de os grupos serem contemporâneos, tinha uma diferença bastante característica entre os que surgiram no fim dos anos 1990 e os que apareceram no começo dos anos 2000. O que os diferenciava era, principalmente, as letras. Charlie Brown, Tihuana, Raimundos, Planet Hemp tinham uma coisa mais "grooveada", influências do hip hop, rap e uma presença forte de Red Hot Chili Peppers. Já os grupos do hardcore melódico tinham aquela coisa mais reta, uma bateria mais direta e as letras falavam de relacionamentos, de coisas do amor, sem ter muito pudor disso.

Charlie Brown e o restante da turma não falavam sobre isso. Era uma coisa mais psicodélica, mais ligada a skate e cultura urbana, enquanto as bandas "novas" eram diretas: "Beleza, a gente vai falar de amor nas nossas letras, mas a gente também é roqueiro."

Nessa época eu tinha uma presença muito forte na MTV. Todos esses artistas que trabalhavam comigo tinham peso na emissora. Um dia, conversando com a Ana Butler, que era diretora de relações artísticas, sugeri: "Vamos fazer um DVD com todos esses caras novos, pois vai ser uma forma de marcar o movimento, de lançar todas essas bandas."

Ela falou que havia uma banda do Rio que gostava e queria incluir, que era o Forfun. Minha ideia inicial era fazer um festival para 10 bandas. Não deu, então fizemos *MTV Ao Vivo – 5 Bandas de Rock*. Fechamos com o NX Zero, Fresno, Forfun, Hateen e Moptop, que era uma banda do Rio, se desenvolvendo mais em estúdio do que no movimento. Quando gravamos esse DVD, em 2007, foi um marco.

Dois anos antes, nós chegamos ao VMB (Video Music Brasil), a principal premiação musical do país, com 13 indicações. No ano seguinte, tivemos 14 indicações. Em 2007, os artistas da Arsenal levaram 7 troféus para casa. E entre 2007 e 2009 tivemos os três artistas do ano, NX Zero, duas vezes, e Fresno.

Tinha as brigas também. A maior delas, e que marcou bem uma divisão das gerações, aconteceu por uma grande besteira.

Os caras do CPM 22 foram dar uma entrevista para a revista *Capricho*. No fim do bate-papo, com gravador desligado e tudo, o jornalista – aquele mesmo infeliz que ferrou com o Lagoa – provocou o Badauí, vocalista do grupo: "Mas e aí? Você se acha parecido com o Chorão mesmo?"

Ele brincou de volta: "Ah, só se for em usar calças largas. Mas as dele são muito mais folgadas do que as minhas."

Claro que o indivíduo colocou em destaque isso na matéria e o Chorão ficou puto. Toda vez que o encontrava e em todo show ele falava: "Vou matar esse cara." O cara (Badauí) ficou com medo, pois nessa época ninguém segurava o Chorão. Depois de eu pedir para ele parar com aquilo, ele jogava nas minhas costas: "Só não vou bater nesse cara por sua causa."

O Chorão tinha esse problema, um certo receio de que alguém iria tomar o espaço dele. Eu falava: "Não tem nada a ver, é outro som, outra história, vai fortalecer, vai ser legal."

Só que ele tinha muito ciúme do CPM 22. O Chorão tinha duas personalidades: uma boa e uma ruim, basicamente. Na maior parte do tempo, ele era uma pessoa boa. Aí eu ouvia: "O Chorão bateu em alguém. O Chorão falou tal coisa." Então eu ia falar com ele, e encontrava o cara legal, bacana, humilde, que tratava todo mundo bem, que dava autógrafos para todos os fãs, muito gente boa.

Sei que essa geração, que ficou conhecida como a dos anos 1990, caprichava no quesito drogas. Vamos falar a real. O mundo da música vive cercado de drogas.

Na minha experiência, o ápice foi quando o Smashing Pumpkins gravou no Midas. A baixista da banda, D'arcy Wretzky, veio com uma lista de drogas médicas que ela queria – era um monte de opiáceo maluco, na linha de variantes da morfina e da heroína, que precisavam de receitas especiais para se comprar. No fim, ela precisou se contentar com o que eles mesmos levaram para o estúdio.

Cocaína é a droga do palco e do hotel, após os shows. Raras bandas não têm um histórico com o pó, de algum ou de vários integrantes. No estúdio, ela não é muito usada. Quando vão gravar, o cardápio muda para maconha e skunk. Aí é marofa sem fim.

Uma coisa tenho que confessar. Só fumei maconha quando achava a banda muito chata, e esse era o único recurso para dar uma anestesiada no ouvido na hora de gravar. Isso aconteceu quando fui gravar 3 Hombres, um grupo paulista dos anos 1990.

Também tinha banda que passava longe das drogas. Eram raras, mas existiam, tipo os Mamonas. Nunca teve absolutamente nada de drogas com os caras. Uns bebiam, mas bem pouco. Nunca vi o Dinho bêbado, por exemplo. Mas aí é dos caras, da formação deles e do que querem para as vidas e carreiras.

A galera dos anos 1990 era mais de bad boys, de caras mais malucos e rebeldes, que usavam mais drogas e se metiam na política. Já a geração que veio depois era uma galera um pouco mais careta, mais do bem, que falava de amor, que não tinha mais vontade de se colocar como "vamos brigar, vamos usar droga pra cacete, vamos ser doidões". Essas coisas separam mais o movimento do que a idade dos caras.

Isso era visível no estúdio, talvez pela quantidade de maconha, que era muito maior na geração dos anos 1990. Mas a atitude de ambas era parecida: todos lá eram tranquilos.

O estúdio é um lugar de paz, uma vibe boa. Nos anos 1970 e 80, soube de muita história e vivenciei algumas, bem baixo astral, de músicos quebrando o lugar, brigando, tentando se matar. Até coisas mais pesadas eu vi rolar, de pessoal tendo overdose.

Só que o estúdio é o momento em que o músico sai daquela loucura do show. Não tem fã babando o ovo, ele não precisa mostrar uma pose. Ele está despido. O artista é ele mesmo naquele espaço. É a hora em que ele mais se aproxima do ser humano normal, da sua real essência. Então tinha o Chorão e tinha o Alexandre. Quando o cara entra no estúdio, ele é o Alexandre. E eu sempre me incomodei muito, e até hoje me incomodo, com o cara que não desmonta no estúdio. Quando o cara não desmonta no estúdio, eu desmonto ele. Essa é a real.

Nas bandas de rock, às vezes pintava um ou outro mais cheio de pose. Só que dentro do estúdio, é o momento onde o cara quer tirar um puta som, e ele precisa da sua ajuda. Depois, ele vai transar com as mulheres, usar drogas pra cacete, ganhar dinheiro, comprar uns carros cafonas. Beleza. Mas, dentro do estúdio, não. É a hora que o cara sai do personagem. Não tem como enganar. Vai enganar quem? Ele não está na televisão. Eu não sou o público dele, estou cagando. Eu quero só tirar um som bom, fazer um disco legal.

Dentro dessa leva de bandas, algumas chegavam com essa pose. Mas quebravam logo. E tinha outras que começavam a adquirir a pose quando começavam a fazer muito sucesso. Não sei o porquê, mas tem artista que vai ficando esquisito depois.

O CPM 22 é intermediário entre as duas turmas, porque eles eram do bem. Depois que eles ficaram meio estranhos com o passar dos anos, com o sucesso e tal. Começaram a brigar muito entre eles, e aí mudou um pouco.

Mas, depois do CPM 22 veio o NX Zero, Fresno, Strike, Hateen, Forfun, Hevo 84. O ponto é que não era mais legal ser bad boy. Isso tem a ver com a geração dos fãs. Quando a internet começou a dominar e as opiniões começaram a surgir, o politicamente correto influenciou muito. Então essa geração não era mais a geração que andava na rua, que andava de skate, que surfava. Teve uma leva, de 2005 até 2010, mais ou menos, que era uma geração boazinha. Para eles, o legal era você ir para a escola, o legal era você não usar drogas, o legal era ser bacana com seu amigo, praticar a inclusão social e respeitar todo mundo.

É tudo fruto de uma época em que ser bonzinho se tornou o normal para a garotada. Foi o período em que perceberam que quanto mais legal e bonzinho você era, mais popular você se tornava nas redes sociais. O rock sofreu, de certa maneira, um abalo nas estruturas a partir do bonzinho. O roqueiro não quer ser bonzinho. O roqueiro não faz *playback*, roqueiro não quer ir no programa da Xuxa e não quer sorrir para a Rede Globo. O roqueiro quer comer a mulherada, quer fazer show, ganhar grana e ser doidão.

No dia da gravação do *MTV ao Vivo – 5 Bandas de Rock*, entrei no camarim das bandas e achei uma chapinha. Perguntei: "Velho, de quem é essa chapinha?" Ninguém assumiu. Só sei que tinha um cara lá que havia feito chapinha antes do show. E pensei: "Fodeu." Quando você entra no camarim de uma banda de rock e tem uma chapinha, fodeu. Mas, beleza, são os novos tempos.

Só que esse rock bonzinho acaba ficando careta e perdendo força. A gente precisa que o rock recomece a ter rebeldia. Porque, hoje, a rebeldia está no hip hop, no rap. Fui assistir ao Grammy, agora em 2016, e querem me convencer que rock é Alabama Shakes, Florence and the Machine. Rock é o caralho! Só que isso cria outro problema, que é justamente o fato de nunca abandonarem esse lado gente fina. Pensa no que se tornou a cena roqueira mundial hoje. Vamos usar como exemplo o Dave Grohl. A banda dele, Foo Fighters, é a que mais vende, *headliner* de todos festivais, o fulano é um puta gênio, mas é legal demais, é bacana demais, é o cara que você não acha ruim se sair com sua filha. Que tipo de roqueiro é esse? Cadê os roqueiros de verdade?

Mesmo com os músicos da cena brasileira sendo totalmente bonzinhos, o som que fazem é pesado. As guitarras estão lá, a bateria é pesada. Eu tentava fazer o som mais pesado possível para compensar as letras. Só que, naturalmente, as composições não tinham mais aqueles *riffs* agressivos, aquela levada de voz forte.

É uma geração que se expõe mais, que começou a mostrar seus sentimentos. A sensibilidade passou a ser uma coisa muito valorizada. Aí o artista vai postar nas redes sociais e tem a obrigação de ser todo certinho, porque se colocar alguma coisa errada, com certeza vai levar muita pedrada em sua vitrine virtual.

Inconscientemente, o artista está se moldando de acordo com os *lovers* e os *haters*. Eu estava trabalhando com a Manu Gavassi, que tinha 16 anos, e vi isso de maneira muito direta. Ela fazia ou publicava algo e a reação era imediata. Não adiantava dizer a ela que 50% das pessoas que comentavam gostavam dela, e que os outros 50% eram *haters*, porque, basicamente, queriam estar na posição dela. Bastava alguém falar do cabelo, do nariz ou da roupa dela, que a menina ficava toda encanada. Isso refletia, claro, na produção musical. Vi que ela queria evitar as tretas mais do que fazer o que era certo – e ela sofria mesmo.

A partir do momento que a internet expõe os artistas, há uma necessidade de ligar o foda-se, que ainda não foi ligado por uma camada deles. Os que ligaram estão se saindo melhor. E, no futuro, a gente precisa de artistas que liguem o foda-se para as redes sociais.

Porque quando chega a hora de fazer o disco, o cara está com mais medo do que vão falar do que com vontade de realmente fazer um lance legal.

Isso criou uma situação muito chata. Pegue os artistas sertanejos, por exemplo. As redes sociais deles são todas iguais. E se você pegar os roqueiros, durante um bom período, a presença deles na internet estava muito parecida com a dos sertanejos.

Se os roqueiros não se diferenciarem, não quiserem ser diferentes, malucos, eles nunca vão ganhar. Porque os sertanejos nascem bonzinhos, eles são legais naturalmente. Ser bonzinho não é a pegada do rock. Ninguém consegue ser mais bonzinho do que uma dupla sertaneja. Eu nunca serei mais bonzinho do que o Daniel. Como eu vou ser bonzinho igual a ele? O Daniel é o cara mais legal do mundo – e ele é assim mesmo, não é teatro. O Daniel é um lorde, eu não conseguiria ser igual a ele, por mais que eu me esforçasse.

Da mesma forma, eu não consigo ser tão coerente e politicamente correto. Às vezes sou rebelde, às vezes sou louco, às vezes falo merda, não sou um cara muito coerente com a vida. Todos têm um padrão, mas de vez em quando damos uma escapada. E os caras do sertanejo conseguem ser iguais a vida inteira, não sei como.

Nisso, os roqueiros estão se fodendo. Então quem é/era atraído por toda a promessa de rebeldia, começou a ir para outros gêneros, como o rap por exemplo. Lá tem os caras tipo Emicida, com discurso mais politizado, os ConeCrew Diretoria, que são uns puta loucos da maconha, os Racionais MC's, que é um grupo voltado para o gangsta e por aí vai. Hoje, o rap tem mais a ver com a molecada do que o rock.

Veio depois a cena dos coloridos, bandas como Cine, Restart, mas não vi uma que fosse sólida musicalmente. Fui gravar uma dessas, mas os caras tocavam tão mal que desisti.

No meio dos anos 2000 ainda não era bem assim. Foi um gringo que se deu conta disso. O presidente da Universal era francês e veio ao Brasil para tentar resolver a lacuna pop que a gravadora tinha aqui. Eles eram bons no pagode, no samba, MPB, mas não no pop rock. Quem presidia a gravadora aqui era o José Antonio Éboli, que eu já conhecia do *Popstars*. Um dia ele me ligou e perguntou se eu tinha interesse em negociar minha gravadora.

Isso foi em 2005, e a Arsenal tinha o melhor *casting* de pop rock do país. Não custava escutar. Pediram uma apresentação para os diretores da gravadora e fizemos. Percebi que o que mais chamou a atenção deles foi justamente nosso diferencial: o fato de termos um estúdio do calibre do Midas para dar suporte aos artistas contratados.

Quando trazia a banda era um laboratório de A&R, artista e repertório. Era nossa maneira de trabalhar, que ajudava a extrair o melhor do artista.

A companhia fez uma proposta irrecusável. Não posso falar valores, pois há sigilo contratual, mas era algo que não ganharíamos nem tendo um bom lucro nos 10 anos seguintes. Eles impuseram as condições deles, que era fazer uma auditoria de um ano, para ter certeza de que tudo estava conforme o script. Como eu tinha a experiência de anos de executivo de gravadora, não teve erro – todos os livros, todas as contas e qualquer entrada ou saída estava registrada.

A minha condição era de que contratassem todos os funcionários da Arsenal, o que foi cumprido. Alguns, até com incremento de salário. E o contrato estipulava que eu trabalharia por cinco anos na gravadora, baseado em São Paulo, e que cuidaria do catálogo dos selos mais pop roqueiros deles: A&M, Def Jam e Geffen. Era basicamente a história da Virgin se repetindo. Mas de uma maneira que me trazia o maior orgulho, ao descobrir, quando eles soltaram o release de divulgação da incorporação, que eles tinham feito uma larga pesquisa na América Latina e que haviam fechado com aquele que foi considerado o "selo mais promissor de pop rock do continente".

O DISCO DO IRA!, *ACÚSTICO MTV*, VENDEU 400 MIL CÓPIAS E FOI O ÁLBUM DE MAIOR VENDAGEM NA CARREIRA DA BANDA.

Capítulo 9

EU ME ACHAVA MACACO VELHO E IMUNE a nervosismo na hora de gravar uma banda, até chegar à casa do baterista André Jung, do Ira!, para o primeiro ensaio do que viria a ser o disco acústico deles.

Quando eu tinha uns 15 anos, era muito fã da banda. A ponto de ter uma certa competição com meu melhor amigo daqueles tempos, o Xibiu, sobre quem sabia mais letras do grupo. Na época, eles haviam lançado o *Vivendo e Não Aprendendo*, e era hit atrás de hit – "Envelheço na Cidade", "Dias de Luta", "Vitrine Viva", "Gritos na Multidão", "Pobre Paulista", Quinze Anos".

Quando o Airton Valadão Junior, empresário da banda e irmão do vocalista Nasi, me ligou perguntando se eu topava produzi-los, aceitei na hora.

Eles vinham de uma sequência de um disco ao vivo, pela MTV, em 2000, e de *Entre Seus Rins*, de 2001. Para falar a verdade, não havia prestado muita atenção aos discos. Só então fui escutá-los. O restante da carreira deles eu conhecia de trás para frente.

Cheguei na casa do Jung e bateu uma adrenalina. Ficava pensando: "Cacete, foi aqui que eles compuseram todas aquelas músicas que adoro." Mas pelo menos cheguei com uma proposta: resgatar algumas músicas lado B da carreira deles, que, de algum modo, não haviam feito o devido sucesso.

Pedi para eles tocarem algumas dessas e, quando o Edgard Scandurra tocou e cantou "Girassol", eu pirei. Só lembro de ter

ficado arrepiado e pensar: "Caraca, essa música é muito linda."
Começaram os ensaios e notei que ficava um climão na banda
quando eu começava a falar dela. Perguntei por que o Nasi não
cantava aquela canção e ficou um silêncio.

Só que estava na cara que a música deveria ser o *single*. Chegou uma hora em que precisei chamar a responsabilidade e falar:
"Então, beleza, essa música é muito boa, vai ser o *single*, mas o
Nasi tem que cantar." Como eu era o cara de fora, eles relutaram
um pouco, mas toparam.

Arranjamos tudo para a gravação. Chamei o Thiago Castanho,
guitarrista do Charlie Brown Jr., que tinha brigado com o Chorão,
para participar fazendo as bases e deixar o Edgard mais livre pra
solar. Outro conhecido que convoquei foi o Beto Paciello, pianis-
ta muito bom, e arredondou o time.

Tinha ainda como convidados o Samuel Rosa, do Skank, que
cantou "Tarde Vazia", a Pitty, em "Eu Quero Sempre Mais", e os
Paralamas do Sucesso, em "Envelheço na Cidade".

O disco, *Acústico MTV*, ficou incrível. Eles tinham como melhores vendagens da carreira dois discos de ouro, um com *Vivendo
e Não Aprendendo*, de 1986, e outro com o *Ao Vivo*, da MTV. O
Acústico ganhou platina dupla e virou o maior sucesso da carreira
deles. Abriu caminho para a banda voltar de vez para o *mainstream*,
em um nível tão intenso que passaram dois anos na estrada, em
turnê. Quando lançaram o disco seguinte, *Invisível DJ*, estavam
tão desgastados, um do outro, que a banda parou antes de ex-
cursionar.

Somente após "Girassol" estar tocando sem parar, vieram me
dizer que a música havia sido feita pelo Edgard para uma ex-na-
morada que deu um pé na bunda dele e depois ficou com o Nasi.
Foi a maior mancada que já dei nas produções. Até hoje, quando
ouço os versos: "Meu sorriso se foi/Minha canção também/Eu ju-
rei por Deus/Não morrer por amor/E continuar a viver" fico com
a maior sensação de situação constrangedora.

Mas se tudo isso aconteceu para ganhar platina dupla e ajudar no maior sucesso da carreira deles, valeu a pena.

O disco foi lançado em parceria da Sony com a Arsenal, pouco antes de ela ser comprada pela Universal. E demoraria depois disso quase uma década para a indústria começar a se recuperar do tsunami que veio na sequência e as pessoas voltarem a comemorar vendagens expressivas.

Se for analisar a venda da Arsenal pelo lado puramente financeiro, dá para dizer que foi um negócio maravilhoso, que rolou aos 45 minutos do segundo tempo. Vendi a empresa na alta total e, no ano seguinte, veio a primeira das ondas gigantescas que engoliram o mercado todo.

Só que não dá para pensar simplesmente como um bom negócio que fiz, quando todo o *business* da música foi sacudido pelas quedas em cima de quedas que aconteceriam nos anos seguintes.

Eu tinha um contrato de cinco anos com a empresa. Para o primeiro ano, fiz as projeções de quanto cada artista venderia, quais artistas novos iria contratar, quanto iria investir de marketing versus vendas e lancei uma projeção de lucro de 20%. Só que o mercado caiu 40% no ano por conta da proliferação da pirataria digital. Como tudo pode sempre piorar, os artistas mais afetados eram justamente os que formavam o *casting* da Arsenal.

A Universal comprou a empresa justamente pelos nomes de pop rock que tínhamos. A gravadora já possuía um catálogo gigantesco, que englobava boa parte da história da música brasileira. Só que o público deles não ia buscar na internet os artistas desse catálogo. Continuavam comprando CDs. Menos, mas continuavam.

Quem baixava música era justamente a garotada, fãs de NX Zero, CPM 22, Charlie Brown Jr., Tihuana. Todos artistas nossos. Se o mercado caiu no geral 40% no ano, o pop rock dá para dizer que caiu, por baixo, 70%.

Uns artistas da Universal, como Zeca Pagodinho e Ivete Sangalo, sentiram certo abalo, mas continuavam a vender bem. Nas reuniões eles sempre eram exemplo de que mesmo com a pirataria, ainda tinha música que vendia. Só que quando chegava no público mais jovem, com menos grana, perceberam que ninguém mais precisava comprar CDs. Era um negócio do tipo: "música dá em arvore, entro na internet, baixo, está aqui comigo e toco onde quiser".

Nos Estados Unidos foi um processo mais demorado. Eles viram a onda chegar. No Brasil foi um tsunami mesmo, que afogou todo mundo. Além de chegar de repente, o país ainda é terra de ninguém no que diz respeito a direitos autorais e propriedade intelectual. Você pode roubar uma música que está tudo bem.

O ponto é que eu tinha apresentado uma projeção de lucro no primeiro ano e, mesmo com o maior esforço para evitar um desastre maior, os números fecharam em 40% no negativo. Tinha levado toda minha equipe para dentro da Universal e ficamos em uma situação complicadíssima lá. Os gringos todos vieram para cima de mim, desde o pessoal de vendas até o presidente regional da gravadora, Jesus Lopes.

Todo mundo enxergava o cenário, que não era uma falha exclusiva nossa. Só que em uma multinacional não importa o que todo mundo está vendo, o que importa é o lucro. Ninguém queria saber se estávamos fazendo um bom trabalho ou pelo menos o máximo para não afundarmos. Eu havia escrito projeção de lucro, o que não estava acontecendo.

Aí veio nosso segundo ano lá dentro e a coisa ficou ainda pior, pois é imediato – se um negócio dá prejuízo em um ano, para o ano seguinte é cortado o investimento. Tive que reduzir o *casting*, trabalhar com menos artistas e me escorar no NX Zero, na Fresno e um pouco no CPM 22.

Como a Universal teria participação de 10% na venda de shows dos artistas, comecei a pegar pesado para vender mais shows, que era uma maneira de minimizar o prejuízo que estavam tendo com a queda de venda dos CDs.

Eu não queria aceitar a derrota. Nunca fui o cara de perder e falar: "Ah, beleza, tudo bem. Acontece." Eu já tinha vivido muitas situações difíceis. Mas, nesse caso, eu estava vivendo uma situação difícil com o dinheiro dos caras.

Cheguei a ficar emocionalmente desequilibrado com a situação. Tanto que briguei com o presidente da gravadora, o José Éboli, que é um cara muito legal e meu amigo até hoje. Analisando agora a situação que passamos, eu consigo enxergar que estava errado.

Comecei a fazer de tudo para tentar amenizar. Como DVDs ainda vendiam razoavelmente bem, fiz DVDs com NX Zero e CPM 22, e tentava me motivar para produzir, gravar e empresariar os artistas. Mas sabia que só estava tapando buracos.

Mesmo com os artistas estourando. Quer dizer, supostamente estourando. A Fresno era um sucesso entre os fãs, shows, tocava na rádio, na TV, internet, só que sem vender CDs não se cobria os custos da equipe, já que dentro de multinacional fica tudo mais caro, com os benefícios e custos operacionais de uma grande empresa.

O que parece ter sido um grande negócio se tornou um terror na minha vida. Eu tinha um contrato e um puta salário. Só não ganhava o bônus no fim de ano, obviamente, pois este viria como porcentagem de lucro.

No terceiro ano a situação melhorou um pouco, porque o mercado começou a caminhar para uma direção em que está hoje. Apareceram negócios diferentes com música digital, como colocá-la como conteúdo embarcado em celulares. Fiz um acordo com a Nokia em que vendiam aparelhos com músicas do NX Zero e da Fresno, e nessa consegui levantar um bom dinheiro.

Deu uma aliviada na barra, pois se eles eram os artistas mais prejudicados com a pirataria, também eram os queridinhos do universo digital, então dava para bolar ações para esse mercado que consumia música indiretamente.

Começamos a respirar um pouco também com a redução dos investimentos e melhor resultado no catálogo internacional. Junto à Arsenal, ficamos responsáveis por administrar os catálogos pop rock internacionais da Universal, dos selos Def Jam, A&M e Geffen. Tinha Lady Gaga, Black Eyed Peas, Maroon 5, Fergie, Nelly Furtado, Justin Timberlake, Timbaland, One Republic, Macy Gray, Marilyn Manson e Snoop Dogg. Só que, no fundo, eles sabiam que não tinham me contratado para fazer o internacional deles. A Universal comprou a Arsenal para fazer artistas pop no catálogo nacional.

A coisa começou a ficar sem sentido. Chegou um momento em que a convivência lá dentro se tornou insuportável, a ponto de eu não ir mais para lá. Ficava no Midas, onde tinha a Arsenal Eventos. Como a parte de shows estava bombando, eu focava mais nisso para levantar mais dinheiro e tentar equilibrar as contas que continuavam não fechando.

A batalha toda se concentrava na música "de graça" pela internet. Virou até dilema moral – se você fosse contra a "democracia" da distribuição gratuita da música na web, você era reacionário, mercenário. Só que sempre fui contra o artista distribuir a música de graça. Para começar, o cara que dá o trabalho de graça está se desvalorizando. Além de criar uma cultura de que toda música tem que ser gratuita. Uma vez instalado isso, não há como voltar atrás, nunca mais.

Atualmente o mercado sente isso. No mercado sertanejo é comum a distribuição de CDs piratas pelos próprios empresários dos artistas. Você vê empresários dando 300, 500 mil CDs por aí, pois para eles e para o artista é vantagem, já que vão espalhar a música, tornar o artista conhecido e ganhar com a venda dos shows. E assim começa a briga de empresário e músico contra a gravadora, e é um ciclo sem fim.

Como a vendagem de CDs caiu demais, a pressão se voltou para que todos entrassem no bolo da grana de shows, e os artistas começassem a tocar mais para levantar dinheiro. Só que se você ficar nesse dilema, ele não resolve o principal problema, que é a qualidade do trabalho.

A discussão não leva em conta que quando o produto físico – vinil ou CD – vendia, as gravadoras eram donas dos estúdios. O artista entrava para gravar e podia ficar lá dentro fumando maconha e dane-se. Agora a situação é no relógio. Se a banda não finalizar rapidamente a gravação, é ameaçada de ter cortada a verba para o marketing.

Eu peguei o finalzinho dessa época das gravadoras, quando tinha mais espaço para o músico ficar rodando lâmpada dentro do estúdio. Tinha muito mais loucura também, meio que por conta disso.

Hoje a coisa é totalmente focada em "tem que achar uma música boa, tem que dar certo, tem que estourar, tem que trabalhar mais, e rapidamente". Se você não fizer sucesso rápido é mandado embora e acabou.

É mais ou menos como o futebol. No tempo do Pelé o cara arrebentava, mas não tinha a marcação cerrada que tem hoje. Na música você tinha mais espaço para respirar também. Se minha época de presidente da Virgin foi excelente, o período na Universal foi muito cruel.

Além disso, a briga entre ganhar ou não dinheiro com venda de CDs ou de shows não contempla uma figura fundamental no processo todo, que é o compositor. Com a queda de vendagem dos discos, ele começou a ganhar bem menos em direitos autorais. Como ele não ganha se a banda fizer mais shows, passou a ser uma figura muito desvalorizada no Brasil.

Hoje virou comum falar que a música perdeu muito em qualidade no Brasil, que está faltando música boa nova. Um dos motivos fortes para isso é não termos mais compositores bem remunerados. Para que o cara vai se esforçar na composição, se vai entregar seu trabalho para um artista que depois vai dar de graça a música?

Foi criado um cenário estranho por conta disso. Alguns compositores escrevem um monte de músicas e cobram uma "taxa de liberação" por elas. É um valor prévio a ser pago pelo artista para que utilize a música. Pode ficar entre, digamos, um mil e 50 mil reais. Mas, dessa forma, não faz a menor diferença para o compositor se a música vai estourar ou não. Se fizer sucesso ou não, isso não vai alterar o valor que ele recebeu por aquilo. Então, qual é o estímulo para fazer uma puta música boa?

Só que, como em todo comércio, surgiram os caras que topam o negócio e ficam compondo e vendendo música que nem um produto qualquer de supermercado. Talvez essa leva de compositores, que apareceram a partir dessa fórmula, não seja tão boa.

Fora que, com todo o acervo disponível de tantos artistas bons nos serviços de *streaming* e até no YouTube, a competição para uma banda nova surgir se tornou desleal, pois ela passa a brigar para aparecer num cenário onde você pode escolher entre ouvir, com a mesma facilidade, um grupo novo de hard rock ou todo o catálogo do AC/DC.

Caímos também no conto da mídia de que os novos artistas surgem a partir da internet, o que não é verdade. Os artistas surgem nos shows. A internet é um veículo de divulgação. Só que de tanto martelarem a história de que o artista podia acontecer pela internet, uma geração inteira começou a achar que conseguiria ser totalmente independente.

Aí o cara gravava em casa, de qualquer jeito, sem o menor cuidado e, quando colocava a música online, achava que tinha lançado o trabalho. Nasceu um mito, durante uns cinco anos, de que todo mundo é artista. Ou seja, gravou, colocou online, é produto lançado. E somos todos artistas assim.

Isso contaminou uma geração que não se preocupava mais em tocar bem, em fazer música de qualidade. São pessoas que não passaram por peneiras que extraem o melhor do potencial, que não passaram pelo filtro das gravadoras, que não foram ouvidas por um diretor artístico, que opinaria sobre a qualidade do som e que iria no show ver se a banda era tudo aquilo ou não.

A verdade é que quando você tem isso, quando depende da aprovação dos outros para quebrar uma barreira e ser lançado, você se mata para achar uma música boa com potencial para fazer sucesso. Quando não existe esse sistema de filtragem, perde-se a referência do que é bom e do que é ruim, pois tudo está lá online, do mesmo jeito, sem peso nem medida de avaliação.

Passou a ser mais importante ter um clipe legalzinho do que estudar música, trabalhar o som, fazer acontecer artisticamente. Passou a ser mais importante ser entrosado com a galera do Twitter do que fazer um show legal. Quando caiu nessa, a internet se encheu de música fraca. Ficou tudo muito parecido.

Demorou anos para que os artistas se tocassem. Só por volta de 2013 é que as bandas se deram conta de que ninguém havia estourado na internet, ou vivia de likes, e começou um processo de retomada, buscando qualidade.

Um ou outro artista teve ajuda da web para acontecer. Vamos analisar os casos mais significativos. O Justin Bieber não estourou na internet – ele fez uns vídeos e apareceu para a gravadora, que colocou um caminhão de dinheiro em promoção e fez acontecer. Mesmo o Psy, que ficam falando do número bilionário de *views* dos vídeos dele, só chegou a isso porque teve outro bilhão – só que de grana – para promovê-lo.

Não dá para driblar a realidade. Os caras podem ver sua banda um milhão de vezes em um YouTube da vida, mas podem não querer consumir você, se acharem que não existe valor artístico suficiente para irem a um show, comprarem um CD ou DVD ou mesmo a versão digital da sua música. Esses novos artistas estão procurando novamente um carimbo de qualidade, pois já perceberam que não vão sobreviver de cliques.

Durante esses anos de terror, eu estava com a Arsenal Eventos fazendo um bom dinheiro, então, ao fim do quarto ano de contrato, dos cinco que eu havia acertado, chamei os caras para conversar. No dia 6 de maio de 2010 encontrei o presidente regional da

Universal, Jesus Lopes, em um café da manhã no Hotel Fasano, em São Paulo, e, por consenso, decidimos encerrar o contrato e o ciclo.

Analisando friamente, dá para imaginar que foi um alívio para mim ter me livrado desse cargo. Mas não foi nem perto disso. Foi um momento muito, mas muito ruim ter que encarar esse fracasso. Eu comecei a me sentir um merda. Tinha que fazer um puta esforço diário para sair da cama e me motivar para ir trabalhar. Até hoje eu me sinto supermal com a situação. Não tem grana que pague se sentir assim. Se soubesse que vender minha gravadora a eles daria o prejuízo que deu, não teria feito o negócio – eu preferia ter encarado sozinho a lama que virou o mercado.

Até hoje penso nesses anos e, mesmo com o esforço que fiz, não me convenço de que tive as melhores situações criativas para que o negócio evoluísse. Queria que a Arsenal virasse um selo referência dentro da Universal e não uma marca negativa na história da gravadora.

Uma das poucas lembranças boas que tenho no meio de tudo isso foi ter conquistado minha maior realização profissional madura, que foi produzir os Titãs, a melhor banda de rock de todos os tempos do Brasil.

Se eu era fã do Ira! quando moleque, os Titãs, para mim, eram como os Beatles. O *Cabeça Dinossauro* é um dos grandes responsáveis por eu ter virado produtor. Até aquele momento, achava que trabalhar com música de verdade era tocar um instrumento, compor e subir no palco.

Aí veio o *Cabeça Dinossauro* e fiquei tão alucinado com o disco que decorei até a ficha técnica. Lia lá: "Produzido por Liminha no estúdio Nas Nuvens, no Rio de Janeiro", e tive a noção de que era algo ainda mais grandioso do que as músicas do disco.

Com o *Cabeça* me dei conta de que ser produtor poderia ser uma coisa legal. Você podia participar do processo todo sem necessariamente ser artista. O disco foi uma aula prática disso – ali, tive noção dos timbres, das viradas, ficava montando quebra-cabeças de qual deles cantava qual parte e como, tudo isso para me sentir parte daquela turma.

Eu falava muito sobre esse assunto em entrevistas, que os achava a melhor banda do país e, quando me perguntavam se faltava alguém com quem gostaria de trabalhar, dizia que era com eles.

Meu primeiro contato foi com o Paulo Miklos. Um dia ele me liga e eu pirei com o convite para gravar o projeto que ele estava tocando, de um disco em homenagem ao Odair José, chamado *Vou Tirar Você Desse Lugar*.

Acabei tocando guitarra com ele na música que dá nome ao álbum, quando ele a gravou. A versão foi para uma novela da Rede Globo, chamada *Bang Bang*, e, quando teve a festa de lançamento da novela, ele me chamou para ser guitarrista do grupo que tocou naquela noite. Após 20 anos, novamente voltei a subir no palco como artista.

Depois conheci o Sérgio Britto, que já tinha produtor para o trabalho solo dele, mas queria ajuda para viabilizá-lo. Acertou de lançar e, na sequência, me ligou e pediu para marcar uma reunião. Chegaram todos os Titãs ao Midas, o que já parecia um sonho, e disseram que o mercado estava muito ruim, que era só má notícia que escutavam. Haviam acabado de sair da Sony e sabiam que eu conseguia fazer as coisas acontecerem e que queria trabalhar com eles – então perguntaram se eu topava produzir o próximo disco deles.

Não esqueço do que o Tony Bellotto, guitarrista, falou para mim. "Parece que você é o único cara que quer continuar fazendo algo na música." Frase que levo como um dos maiores elogios que já ganhei na vida.

Topei na hora e simplesmente sumi do mapa. Fiquei ensaiando com eles, gravando e gerou até uma ciumeira nos outros artistas da Arsenal Eventos, já que empresariava o NX Zero, Fresno, Strike e CPM 22 ainda. Mas todos entenderam que era legal ter a chancela dos Titãs por perto, então ficou tudo bem. Eles sabiam que se fosse com eles, fariam o mesmo.

O primeiro *single*, "Antes de Você", entrou na novela *Caras & Bocas*, da Rede Globo, e começou a ir bem. O segundo *single*, "Porque Eu Sei Que é Amor", foi para a trilha de outra novela, *Cama de Gato*, e consolidou o sucesso merecido, porque é uma música linda. Além disso, o disco *Sacos Plásticos* ganhou o Grammy Latino de Melhor Álbum de Rock Brasileiro, uma das cinco estatuetas de gramofone que tenho.

Juntar a sua banda preferida, tocar com os caras – toquei baixo, guitarra, violão e piano no disco – e ainda ganhar um Grammy com isso, é algo sem preço.

Ganhar um Grammy já é algo sem preço. Às vezes entro na minha sala e fico olhando meio hipnotizado para eles. Os outros quatro que tenho foram com *Cidade Cinza*, do CPM 22, *Camisa 10 Joga Bola Até na Chuva*, do Charlie Brown Jr., *Agora*, do NX Zero, e *Tamo Aí na Atividade*, também do Charlie Brown Jr.

Só que depois de realizar esse sonho de gravar os Titãs, veio o fim do ciclo na Universal. Não sabia como lidar com a situação, com o fracasso que havia sido. A única saída que encontrei foi voltar para o estúdio e encarar um mercado em completa transformação. Aquele era o monstro da vez e eu tinha que, de alguma forma, comprovar que poderia continuar sendo um produtor musical. Mais que isso: tinha a convicção de que algo novo deveria ser acrescentado à minha forma de trabalhar. Uma das respostas veio através da TV.

COM LUCIANO HUCK EM ANTONINA DO NORTE, SERTÃO DO CEARÁ, GRAVANDO "OLHA A MINHA BANDA".

Capítulo 10

FAZER TELEVISÃO TRAZ UMA PROJEÇÃO ABSURDA,

para o bem e para o mal. Ao mesmo tempo, te confere (no meu caso) um status de produtor que "consegue fazer de um artista iniciante um sucesso"; por outro lado, te deixa meio mal visto entre os artistas com carreira estabelecida, especialmente os roqueiros e os mais alternativos. Eles começam a te olhar meio torto, você deixa de ser o cara que fica mexendo na mesa de som, no amplificador, para ser um cara meio artista, como ele, e, de certa forma, muitos deles não gostam de ter um produtor que rivalize em popularidade.

Só que se eu fosse me guiar pelos egos, daria um passo em falso.

Após as edições dos *Popstars*, que formaram o Rouge e o Br'oz, a diretora de ambos, Elisabetta Zenatti, e eu formamos uma espécie de parceria para assuntos que misturassem televisão e música.

Ela teve a ideia de um projeto na TV para lançar, em um reality show, um artista country. Fiz uma reunião com a Elisabetta e ela nem sabia do meu passado de gravações com sertanejos, que eu tinha compositores parceiros em Nashville, a meca do country, nem que tinha tantos amigos no gênero.

Falamos sobre o formato do programa e ela disse que queria revelar uma menina que cantasse sertanejo, mas que tivesse uma influência do country. Era uma ideia até visionária, bem à frente do tempo, pois só hoje as mulheres estão crescendo no segmento, sendo que o programa *Country Star* foi lançado há quase 10 anos, em 2007.

Lá atrás tinha a Inezita Barroso, depois a Roberta Miranda, e, atualmente, tem a Paula Fernandes, mas só agora o mercado está de fato se preparando para uma explosão de meninas no sertanejo.

A justificativa dela era: "Por que no Brasil não tem uma mulher que cante sertanejo?" Eu dizia que era um mercado muito baseado em duplas. Como ela era diretora artística da Bandeirantes na época, sacou que o programa *Terra Nativa*, do gênero sertanejo, dava muita audiência e quis colocar o *Country Star* dentro dele, para aproveitar o público que já assistia ao programa.

As inscrições eram online, pelo site da Band, e em pouco tempo já havia mais de 10 mil meninas inscritas. As audições foram diferentes do *Popstars*. Lá, nós jurados, fazíamos desde a pré-seleção, ouvindo uma fila interminável de meninas e meninos cantarem o dia inteiro. No *Country Star* a produção do programa fazia a peneira prévia e chegaram para nós umas mil garotas. Aí fizemos as audições no estúdio mesmo.

Convidei para ser jurado o Bozzo Barretti, que foi tecladista do Capital Inicial e depois virou um grande arranjador de música sertaneja nos anos 1990. Ele havia trabalhado com Chitãozinho e Xororó, Leandro e Leonardo, e toda aquela safra de duplas que tinha estourado.

Com ele, ficou faltando uma mulher para compor a bancada de jurados, já que a vencedora seria uma cantora. A gente precisava de alguém do universo sertanejo, então decidimos convidar a Zilu, que era mulher do Zezé Di Camargo. Foi a primeira experiência dela na TV, e, embora ela não tivesse muita técnica e traquejo no começo, é uma pessoa muito legal, conviveu durante muitos anos com um dos maiores artistas do gênero no país e, mais importante, ama o sertanejo, então acrescentou muito ao grupo.

O programa durou três meses e foi muito bem de audiência. A vencedora foi a Nathália Siqueira. Ela teve um grande sucesso, "Você me ensinou o amor", música minha em parceria com um grande amigo de Nashville, Eric Silver, um dos caras mais talentosos no country – já gravou desde o Garth Brooks até as Dixie Chicks. A Nathália continua cantando e, recentemente, foi para a música evangélica.

Fiquei bastante conhecido de novo, já que tocava para as meninas cantarem, fazia os arranjos das músicas e desafiava as meninas. Começou, novamente, aquela história de dar autógrafos nas ruas; pela internet a coisa também cresceu, a ponto de terem criado torcidas organizadas para as meninas.

Profissionalmente, o mais legal no *Country Star* é que foi como uma segunda pós-graduação de direção artística. Como as meninas cantavam à capela, comigo ou com o Bozzo tocando, você sente de maneira diferente o artista, do que se elas estivessem cantando com uma banda.

Quando você está tocando, percebe o que a pessoa tem de sensibilidade para te acompanhar. A resposta para o que você está tocando é muito mais emocional, você consegue sentir muito mais o artista. Mesmo que, às vezes, ele não esteja tão afinado, você consegue senti-lo melhor, pois passa a fazer parte daquela interpretação.

Além disso, a audiência que assistia ao *Country Star* era completamente diferente da que acompanhou o *Popstars*. Nos programas que geraram Rouge e Br'oz, o público era totalmente pop, no sentido de pop music. Eram meninas do pop, gente que gostava de pop. No *Country Star*, a audiência era muito mais popular. O pessoal que assistia ao *Terra Nativa*, que era apresentado pela dupla Guilherme e Santiago, era uma galera que ia de comitiva dançar em casas sertanejas, como a Villa Country, em São Paulo.

Então comecei a ter contato com um público totalmente novo para mim, que exigia que minha linguagem fosse mais direta e menos técnica. É um puta exercício mental quando isso acontece, pois quem me conhecia deve ter pensado: "Nossa, mas é o Rick mesmo?"

Quando você trabalha com o pop e depois vai para o popular, percebe que o *timing* é completamente diferente. O público é bem mais heterogêneo no popular, você conversa com a menina que trabalha na limpeza, o cara que trabalha no restaurante, o executivo que curte sertanejo, então tem uma gama de pessoas que te forçam a se comunicar de uma maneira que seja absorvida por todos.

A televisão é uma escola muito legal para quem trabalha com música. Se houvesse a possibilidade, todo mundo que trabalha no universo musical deveria fazer estágio na TV. Aplico muito o que aprendi na televisão em minhas produções, nos discos, na forma como trabalho e até em como me relaciono com minha equipe.

Digo isso porque a TV é muito rápida, muito direta. Quando você passa pela experiência, vê que a expressão dos artistas seria melhor se os produtores tivessem passado por essa experiência. O mundo do estúdio é limitado. Por mais que a matéria-prima seja a emoção, você trabalha basicamente com o ouvido. Já na TV, você percebe que existem muito mais recursos que devem ser explorados, e que você, igualmente, tem que ter muito mais cuidado com determinadas atitudes.

A minha evolução como produtor, executivo da música, das gravadoras e como pessoa pública foi muito depurada pelas entrevistas que dei, pelas situações difíceis que passei com a mídia e pelos programas de televisão que fiz.

Outro dia assisti à primeira entrevista que dei na vida para a televisão, que foi para o Maurício Kubrusly, depois do acidente dos Mamonas Assassinas, e não me reconheço direito ali. Tudo bem que tinha uma grande carga emocional envolvida. Mas meu jeito de falar, gestos, tudo, percebo que mudaram muito e consigo traçar uma evolução na minha maneira de me comunicar pelas entrevistas que dei durante os anos.

Quando você vai para a TV, passa a ser mais requisitado, você fica popular e um número maior de pessoas te procura, querendo ser produzidas, pois você cria uma certa imagem a partir dos trabalhos que deram certo. O cara pensa: "Ah, ele lançou Charlie Brown, Mamonas, CPM 22", então você fica com essa marca dentro do mercado. Só que quando você vai para a TV e começa a fazer country, sertanejo, música infantil, abre outro leque de possibilidades no trabalho.

Existe o lado também que cria um certo olhar estranho por parte dos artistas, mais especificamente os roqueiros e alternativos, pois você passa meio que a rivalizar com eles em popularidade. Embora eu sempre diga que não sou artista, que o produtor não pode ser artista, a visão do cara fica meio distorcida. Nesse ponto, você perde um pouco. É difícil você ser um cara maneiro, fazendo um programa popular na televisão, porque tem que dar 20, 30 pontos de Ibope. Então é preciso interpretar vários papéis para chegar a isso.

O resultado do *Country Star* foi positivo. Tanto que fizeram a versão masculina do programa. Ele também me abriu uma porta para eu ir fazer um quadro no *Caldeirão do Huck*, na Rede Globo.

Conhecia o Luciano Huck faz tempo, desde a época em que ele tinha programa na rádio Jovem Pan, com a Adriane Galisteu, o *Torpedo*. Ia com os Mamonas ao programa. Depois, ele passou para a TV, fez o programa *H*, na Bandeirantes, e eu ia com o Charlie Brown Jr. lá. Acabamos ficando amigos.

Quando já estava com o *Caldeirão do Huck*, ele me ligou um dia e disse que no quadro de reforma que ele fazia, o "Lar Doce Lar", tinha uma casa em que os garotos que moravam lá montaram uma banda e me convidou para participar, dando uma repaginada no grupo deles também.

Topei e fomos na casa dos moleques. Chegando lá, eles piraram com a ideia de remodelação da banda, dei um tapa no visual deles e produzi o grupo. Quando foi ao ar, teve um bom resultado de audiência, então o Luciano, que tem uma cabeça muito boa para ideias, sugeriu criar um quadro: "Olha a minha banda".

Era para ser para grupos, mas começou a aparecer artistas de todos os tipos. Virou quadro fixo, mensal, e abriram uma comunidade na Globo.com para a inscrição. Rapidamente, havia 50 mil artistas inscritos. O formato era o Luciano aparecer, eu pintava depois, escutávamos, analisávamos o cara ou o grupo e partíamos para trabalhá-los. Mas era fundamental que tivesse uma história de vida legal por trás do artista, além de música com potencial, para dar liga.

Quando ia ao ar, o quadro começou a ser o pico de audiência do programa. Fizemos durante dois anos o "Olha a minha banda", tempo em que o Luciano se tornou um grande professor de comunicação na TV para mim. Eu ficava sempre vendo como ele fazia, como falava, se portava com as pessoas, até mesmo aquelas dentro da Rede Globo. Fora que a Globo te dá uma projeção absurda – como já tinha proliferado o lance de câmeras digitais em celulares, não conseguia andar uma quadra sem tirar uma foto.

Dentro de tudo isso, tinha histórias muito loucas. A que mais me marcou foi a de uma banda de Antonina do Norte, uma cidade de 7 mil habitantes que fica no interior do Ceará, a quase 400 quilômetros de Fortaleza. Fica bem no sertão.

A gente pegou um jato no Rio de Janeiro, passou por cima de Juazeiro do Norte, porque lembro de ter visto lá de cima a estátua do Padre Cícero, e depois de umas três, quatro horas de voo, o piloto não encontrava a pista de pouso. Eu com medo já, "pô, está acabando o combustível e esse cara não encontra a pista", e ele pegou um daqueles guias Quatro Rodas e, com o mapa do livro, encontrou a pista.

Depois, a gente pegou um ônibus e rodou mais uma hora e meia até chegar à cidade. Passava por toda aquela região árida, que você só vê na televisão, em documentários. Chegamos na cidade e fizemos aquele esquema de pegadinha, para finalmente aparecermos. Primeiro entra o Huck, e é comoção geral. Depois ele me chamou e os caras desabaram em choro.

O mais louco da história foi o fato de os caras desmontarem quando eu apareci. A ponto de o Luciano falar para mim: "Rick, eles estão na sua. Estão cagando pra mim", brincando e se divertindo com aquilo. E o cara é o Luciano Huck, um dos apresentadores mais populares do Brasil, que tem um programa na Rede Globo, todo fim de semana.

Então me levaram para o quartinho onde ensaiavam e, sério, devia estar uns 50°C no lugar. Começamos a conversar e eles sabiam absolutamente tudo da minha vida, conheciam as histórias dos Mamonas, do Charlie Brown, do CPM 22, e perguntavam da SSL que tenho no estúdio. Os caras sabiam até a marca da minha mesa de som! Foi loucura, pois eu pensava: "Como fui sair daquele estudiozinho no fundo da casa da minha prima e chegar a isso? Como minha história chegou até aqui?"

Eles sabiam dos meus equipamentos, o que eu já havia gravado, como eu gravava, eles só não tinham realizado fisicamente aquilo, mas na cabeça deles estava tudo pronto e armado. Foi ali, naquele momento, que me dei conta de onde estava chegando. Os caras sabiam disso tudo antes, independente do quadro, da força da TV. Já haviam me estudado como planejamento de carreira deles, desde que formaram a banda. Isso me deixou de cara.

A banda se chamava Diretrize 28. E depois, no processo de repaginação do grupo, achamos que eles precisavam encontrar um nome melhor. Acabaram batizando a banda de Geração Ipsilone, que era a maneira como pronunciavam o ípsilon: Ipsilone. Era um grupo bem arrumadinho de hardcore.

O quadro consumia bastante, algo como uma semana do mês de trabalho, totalmente dedicado. Eu tinha contrato com a Globo, estava todo mundo feliz, patrocinador bancando, mas aí fui procurado pelo Wanderley Villa Nova, diretor geral do Ídolos, e pelo Carlos Gonzalez, presidente da produtora de televisão FremantleMedia para a América Latina. Eles foram até o Midas conversar comigo e me fizeram um convite para ser jurado do programa.

O convite era legal e minha única preocupação era que, sendo jurado, tudo o que eu havia feito na TV precisaria ficar pra trás, pois até então eu tinha a maior preocupação que o vencedor ou os mais talentosos tivessem uma sequência no trabalho e não ficassem por conta própria ao final dos programas. Por isso eu falava com gravadoras, gravava e produzia os caras, conversava com quem eu sabia que poderia dar uma força ou empurrão inicial.

No Ídolos, deixaram claro de cara que eu seria apenas jurado e ponto. Foi até uma situação elogiosa, pois ali eu saquei que havia me tornado uma figura midiática do meio musical. Até aquele convite, quando eu era chamado para fazer TV, sempre tinha uma função profissional agregada – ou eu gravaria o artista ou produziria, analisaria tecnicamente etc. No Ídolos, a única coisa que me pediram foi para ser eu mesmo.

Outro jurado seria o Marco Camargo e a terceira era a Luiza Possi, com quem já tinha trabalhado, minha amiga, então arredondou. Decidi que queria fazer e fui falar com o Luciano. Ele ficou um pouco chateado, avisou que teria um certo tempo ruim em trocar a Globo pela Record, e, realmente, na hora de resolver algumas questões contratuais, houve certa pressão lá dentro.

Mas eu não ligava para isso. Nunca tive apego a nenhuma emissora de televisão, até porque as pessoas são mais importantes do que as emissoras. Minha única preocupação era resolver a situação com o Luciano, que é um cara muito legal, muito parceiro.

Dentro da Record, tive que me desapegar desse processo todo do pós. Mesmo no quadro do *Caldeirão*, pegava os caras, levava para a rádio, tentava tocar e fazer com que aparecessem de alguma forma. No Ídolos, estava claro: você será somente o jurado. Vai ter uma gravadora que irá lançar o artista, o trabalho de marketing será assim, e o planejamento já está formatado. Mesmo assim, achei que valeria a pena essa experiência. Já havia trabalhado com a diretora do programa, Fernanda Telles, no *Popstars*.

Ela acentuou um personagem que era natural para mim. Mas eu sempre me colocava meio distante de toda aquela sacanagem do início do programa, dos candidatos mais cômicos, porque não queria pesar em críticas aos artistas que estavam começando. Nunca iria bater em uma cara que estava ali e que poderia melhorar. Isso foi até motivo de conflito durante o programa. Eu tive uma briga feia com o Marco Camargo porque ele detonou uma menina novinha, de seus 20, 21 anos. Tomei as dores dela porque acho que ninguém pode destruir o sonho ou a possibilidade de uma pessoa melhorar. Você não pode dizer para uma menina de 20 anos que ela não vai ser nada na vida se seguir na música. Porque já vi muito cara considerado ruim que depois de um tempo acertou um hit.

Aliás, fiz minha carreira revelando artistas novos. Então, não tenho o direito de ir à televisão e destruir tudo o que construí ou destruir o sonho de alguém. Isso, de não colocar ninguém para baixo, virou até um personagem no programa.

Dentro do formato do programa, a seleção prévia escolhia os muito bons e os muito ruins, pois esses eram os que davam mais audiência. Só que no meio desses malucos apareceu um que eu achava que ele tinha um hit na mão, a "Dança da Motinha".

Eram tão engraçados o cara e a música que dei o telefone do Aloysio Reis, que na época era presidente da Sony Publishing. Liguei para ele e falei: "Olha só, vai te ligar um maluco aí que descobri no Ídolos, mas o cara tem um hit. Se você fizer um funk com isso, vai estourar."

Depois de um mês, o Aloysio me liga e diz que o cara não o havia procurado. Passa mais um mês e nada. Fui atrás da história, pois achei que o cara tinha morrido. Pensa só: o cara vai num programa de TV, mostra a música e tira tipo o prêmio máximo, que é ser recomendado para o presidente de uma das maiores gravadoras do país e some do nada.

Fui investigar e descobri que o cara era pedreiro e que logo depois do programa ele havia se acidentado em uma obra. O cara caiu da laje, se arrebentou todo e estava vivendo do INSS. Você só não conhece a "Dança da Motinha" porque o cara caiu da laje, vai vendo.

Teve outro que apareceu com a música do "Buquê de Flor". Era muito figura e chamava-se MC Judson. Falei para ele: "Não importa se você vai ganhar ou não o programa, vou te dar uma música e te gravar." Ele foi ao meu estúdio, gravei, o pessoal da produção do programa também deu uma força. Ele até fez uns shows por aí e ganhou uma graninha.

Minha intenção dentro do Ídolos era essa. Acabou sendo uma mistura de diversão e desgaste, pois as audições eram absurdamente longas. Nós gravávamos em várias capitais, viajávamos bastante, o que acabou me atrapalhando muito no trabalho dentro do estúdio e me exigiu ficar longe dele durante um tempo.

No final da temporada já estava desgastado, havia brigado com o Marco Camargo, a Luiza também cansou, e decidi que não queria seguir no programa. Simplesmente não dava para continuar como jurado e produtor, e eu queria voltar a ser apenas produtor.

Da experiência, mais uma vez, trouxe um aprendizado muito grande com o apresentador do programa, o Rodrigo Faro. Ele é um puta cara legal, além de ser muito bom e rápido. É um cara que tem o dom para o negócio.

O que esses comunicadores, como ele e o Luciano, mostram na prática tem muito a ver com a imagem que você passa – como se proteger, como se portar. E também com o uso da política, pois você precisa ser muito esperto para permanecer bastante tempo em cena, já que é um mercado louco para te espremer feito um cravo. Chega pressão de todos os lados e uma hora você vai balançar para ser colocado para fora. Tem que ter muita habilidade política para conseguir se posicionar sob essa pressão e também não se tornar um idiota, pois se tem algo que não querem é uma pessoa na tela com imagem de idiota.

Um projeto, na televisão, que adorei fazer e que não havia toda essa pressão (de imagem) foi a novela infantojuvenil *Floribella*. Foi antes até do *Country Star*. Era a versão brasileira da novela argentina *Floricienta*.

Passou na Bandeirantes e teve duas temporadas, entre 2005 e 2006. A trama era a personagem Maria Flor (interpretada pela Juliana Silveira) que era órfã e trabalhava como babá em uma casa de família rica.

Como a minha filha, Gabriela, estava com uns 10 anos, ela era o *target*, então praticamente fiz as músicas e a produção da trilha sonora de *Floribella* baseado nela.

Desde os Mamonas, eu havia percebido que conseguia escrever coisas para um público infantil. No Rouge isso ficou mais evidente. Então, com a minha filha, eu escrevia as músicas, mostrava para ela, via o que ela gostava e o que não curtia. Ela até cantou no disco, que vendeu muito bem, 500 mil cópias, e ganhou platina dupla.

Fizemos um segundo disco, que também foi bem, e como era um musical, inspirado em *Cinderela*, havia bastante coreografias junto às músicas. Até hoje encontro meninas de vinte e poucos anos que dizem: "Eu canto todas as músicas de *Floribella* e sei todas as coreografias."

O mais louco é que eu escrevia as músicas, a Roberta Cid e a Paula Peixoto faziam as coreografias e a gente nunca tinha se encontrado. Às vezes eu falava com a Roberta, mas nem sabia da Paula, que mais tarde entrou na história de forma definitiva.

Só fui conhecê-la quando fiz um trabalho semelhante, para a Record, que foi *Rebelde*. Na hora de montar o show do grupo da novela, falei que precisava de uma coreógrafa e a Denise Santana, diretora da Bandeirantes e que havia sido assistente da Elisabetta nos *Popstars*, indicou a Paula, que tinha feito também coreografia para outra novela que eu havia composto as músicas, *Dance, Dance, Dance*. "Chama a Paulinha, ela é muito boa e você vai adorar", ela disse.

A Denise achou que nossas ideias profissionais casavam, então fez a ponte para falarmos. Quando marcamos, a Paula veio até o estúdio e as ideias bateram de cara. Já acertamos de fazer uns trabalhos juntos e, durante o processo de *Rebelde*, começamos a namorar. A verdade é que a adorei profissionalmente, mas, desde a primeira reunião que tivemos, sabia que ela era a mulher da minha vida. Hoje, a Paula é minha esposa.

Quem me convidou para fazer *Rebelde* foi o Sebastian Vibes, diretor da Televisa, que era proprietária da marca. Eles precisavam de alguém para produzir; como iria passar na Record e eu estava no Ídolos, facilitou o convite.

Eles selecionaram os seis atores, três casais, e eu nem sabia se cantavam ou não. A maioria não cantava. O Chay Suede cantava um pouco e havia participado do Ídolos, a Lua Blanco tinha certa experiência, mas os outros quatro – Arthur Aguiar, Melanie Fronckowiak, Sophia Abrahão e Micael Borges – no máximo, haviam feito aula para musical.

Minha função com eles era produzir o disco, compor as músicas e dirigir o show. Fui fazendo as músicas de acordo com o roteiro da novela e, na hora de gravar, chamei a Magali Mussi, que é uma excelente *coaching* vocal. A gente conseguiu fazer o grupo inteiro cantar, tanto que todos eles seguiram carreira, e foi ali que começaram a ter gosto pela música.

Na hora do show, a Paula veio para coreografar, mas aquilo se tornou um trabalho enorme, pois o show era gigantesco. Eu tinha ido viajar, visto uns espetáculos em Nova York e, como havia verba para fazer, montamos um megashow. Depois dos Mamonas, *Rebelde* foi o maior fenômeno que já vi e com quem trabalhei.

Era histeria completa. Abria venda para uma casa com capacidade para 10.000 pessoas, tipo Espaço das Américas, e lotava sábado e domingo; depois abria quarta, quinta e sexta-feira, e também lotava. Eu precisava acompanhar tudo. Como a Record não tinha experiência em shows, acabei ficando sócio, tendo participação nas apresentações, então ia a todas. Além disso, eu também dirigia o grupo no palco.

Fizemos o primeiro show em Porto Alegre e seguimos turnê. Mas fui apenas nas 30 primeiras apresentações. Até porque a equipe já estava redonda e não precisava mais da minha presença.

Imaginava que o grupo duraria uns quatro anos, mais ou menos, como o Rouge. Durou três, o que foi de bom tamanho, já que eles tinham um complicador que o Rouge não tinha, que são os egos dos atores. Somado aos egos de músicos, quando viraram cantores, a coisa ficou insuportável. Começaram as críticas porque tinha muito *playback*, só que não dava para ser de outra forma, já que eles dançavam e não eram cantores natos. No meio da turnê, quiseram parar com o *playback* e cantar para valer, todas as partes, aí deu tudo errado.

Depois de *Rebelde*, ainda insisti em fazer televisão. Na verdade, o projeto seguinte nasceu meio sem querer. Estava conversando com o Helio Leite, o Gil Daga e o Renato Patriarca no estúdio, quando começamos a falar sobre o quanto de loucura acontece no dia a dia de um lugar assim.

São três estúdios grandes dentro de um prédio, já teve venda de shows, agência de publicidade, um monte de coisas.

Em um mesmo dia, acontecem coisas interessantes, engraçadas, tristes, tem artista famoso chegando, o cara que tem o sonho de virar alguma coisa, o outro que está com a carreira indo para o buraco, as brigas, o relacionamento das pessoas aqui dentro, os malucos, tem de tudo. Porque todo mundo que trabalha em estúdio é meio doido. O básico é o cara tomar pelo menos dois miligramas de Rivotril por dia.

No meio da conversa, eu pensei: "Se a gente gravasse isso daria um bom programa de televisão." Fiquei com a ideia na cabeça e, mais uma vez, procurei a Elisabetta Zenatti. Na época, ela já estava com a própria produtora, Floresta, coligada à Sony Pictures, e sugeri a ideia de um reality dentro do estúdio. Ela passou uns 15 dias pesquisando e viu que nunca havia sido feito esse formato, em lugar algum, o que nos liberava para montá-lo sem problemas com direitos autorais. No fundo, estávamos inventando o formato.

A ideia inicial era mostrar os artistas desmontados no estúdio, como eles são de verdade. Porque quando o cara chega ao estúdio ele não é o fodão, líder da banda X, ele é um cara normal que está querendo gravar um disco e que precisa de ajuda.

Queria mostrar o lado mais frágil dos artistas, o ser humano, os defeitos, o cara que erra e que tem fraquezas. Mostrar também a loucura que é um estúdio no meio de tudo isso. No meio da conversa veio a ideia de formar uma banda no reality, que nem era algo que me empolgava muito, mas que do lado dos executivos da TV vinha como sugestão para dar liga televisiva ao material.

Isso mudou completamente o formato do que eu tinha bolado. Queria que fosse um reality show com foco forte na parte reality, a realidade de um estúdio, o que acontece e que ninguém vê, pois o público só conhece o produto final que sai dali, o disco. Tipo: "Vejam só tudo o que acontece entre uma gravação e outra."

Tinha um lado pessoal também no projeto, pois estava trazendo minha filha para trabalhar no estúdio e era uma retomada daquilo que meu pai fez comigo quando era moleque, de me levar para trabalhar com ele.

Era algo como meu sonho em termos de programa de TV; imaginei mostrar também a parte técnica, pois muita gente me pedia dicas, só que depois vi que era um sonho inviável. Durante a execução do programa começaram a chover pedidos de "precisamos de artistas de tal maneira, precisamos de mais audiência, então vamos por aqui".

Tiveram as inscrições e foi meu primeiro contato com a geração de garotas que cantavam dentro do quarto e colocavam esses vídeos no YouTube, o que foi um ponto positivo do projeto. Só que movimentou outro lado puramente comercial, pois precisava da logística para quando fosse lançar o grupo.

Quando quis retomar a ideia original, já era tarde. O diretor indicado para o programa, Rodrigo Branco, tinha uma cabeça totalmente voltada ao popular, então muitas vezes fazia coisas que eu entendia como um pouco apelativas. No meio de tudo isso, como você está na metade do processo, a audiência vai bem, é difícil interromper e falar: "Para tudo. Não é isso."

Já existe investimento comprometido, canal, muita gente envolvida no bolo que aquilo se tornou. O projeto durou um ano. Era muito trabalho, e eu tinha que me desdobrar para manter o estúdio operando, então voltei àquela de trabalhar 20 horas por dia.

Na hora de lançar as meninas, o Girls, recebo uma ligação do presidente da Sony, o Alexandre Schiavo, me avisando que estava contratando uma boy band, chamada P9, mas que não era para eu me preocupar. Se o presidente da gravadora me liga do nada, dizendo que está lançando um produto parecido com o que me contrataram para fazer, é óbvio que vou ficar encanado. Até porque conheço bem como funcionam as coisas dentro de uma gravadora, e para um artista ficar pra trás, ter investimento brecado, não precisa muito.

Quando fomos para a rua com o primeiro *single*, o responsável pelo marketing da Sony me disse que ninguém queria tocar. Aí saquei que a Sony havia se encantado com o projeto dessa boy band, tinham ido na conversa do produtor do grupo, que dizia que havia trabalhado com o Black Eyed Peas, só que ninguém o conhecia, e o pessoal da gravadora caiu nessa.

Resumo: tiraram o investimento do Girls, focaram na outra banda, as meninas começaram a se desentender e o projeto não vingou. Eu havia colocado um ano de trabalho e energia no projeto e comecei a refletir sobre tudo o que estava fazendo.

O resultado foi que ao final do Girls eu chamei o Helio Leite, que é meu parceiro e braço direito, e falei: "Não quero empresariar mais ninguém."

– Como assim? Ninguém, tipo ninguém? – perguntou, pois tínhamos uns 18 artistas nessa condição.

– Ninguém –, respondi. – Na segunda-feira eu te direi o que iremos fazer.

Era sexta-feira e eu teria o final de semana para me preparar.

TV*

OS MAIS VISTOS:

CULTURA			SBT			GLOBO			RECORD			REDETV!			GAZETA			BANDEIRANTES		
1º Planeta Terra DH		3	1º Carrossel		12	1º Salve Jorge		37	1º Domingo Espetacular		13	1º Teste de Fidelidade		2	1º Mesa Redonda		1	1º Pânico na Band		7
2º Vejo Minha Vida Mat.		3	2º Programa Silvio Santos		9	2º Jornal Nacional		26	2º Programa do Gugu		12	2º Teste de Fidelidade (not)		2	2º Mulheres 3		1	2º Brasil Urgente		6
3º Esp.Cultura Meio Amb.		2	3º Tela de Sucessos		9	3º Corinthians X Tijuana		24	3º José do Egito		11	3º Operação de Risco (not)		2	3º Mulheres 2		1	3º Polícia 24H		5

FONTE IBOPE: 1 PONTO = 63 MIL DOMICÍLIOS NA GRANDE SÃO PAULO. SEMANA DE 11 A 17/3)

CAÇADOR DE TALENTOS

Rick Bonadio lançará banda pop feminina em reality

João Fernando

Se daqui a alguns meses você perceber que está cantando uma canção pop chiclete, a culpa será de Rick Bonadio. O produtor musical, que lançou bandas como Mamonas Assassinas e Restart, comandará, a partir de amanhã, às 21h30, no Multishow, o *Fábrica de Estrelas*, reality para formar uma banda feminina.

"São meninas que cantam desde cedo, na faixa dos 18, 19 anos. Elas cantam bem, mas ficam no quarto, cantando para a webcam. Dei uma chance para essa gera-

ção do YouTube. A ideia é dar a oportunidade para quem não tem", explica Bonadio, 43 anos, que há cerca de uma década teve uma experiência semelhante no SBT, onde apresentou o *Pop Stars*, que deu origem à banda Rouge, já separada hoje. "Naquela época, as candidatas tinham alguma experiência, estavam na faixa dos 22 e cantavam em bares."

Para escolher as 120 meninas dos primeiros testes, o produtor passou um mês assistindo aos vídeos dos quase 4 mil inscritas por cerca de quatro horas por dia. No material enviado, elas tinham de cantar e fazer uma performance. "Às vezes, elas têm uma atitude incrível, mas, se a voz não for boa, não trago", avalia Bonadio, que já se reuniu com um compositor para escrever as músicas que o grupo gravará.

Para marcar o jeito de cada uma das integrantes de sua girl band, o produtor conta com a

ajuda de Fátima Toledo, preparadora de elenco de filmes como *Tropa de Elite* e *Cidade de Deus*. "Queria cinco pessoas com características diferentes, uma nerd, uma moleca. A Fátima vai a fundo, deixa as meninas no zero, até já desclassificou algumas", detalha ele, que divide as tarefas com uma equipe. "Eu sou a pessoa central, mas os outros profissionais me auxiliam."

Ao mesmo tempo que mostrará o processo da formação de uma banda pop ao longo de 26 episódios, Rick Bonadio receberá em seu estúdio artistas com quem costuma trabalhar, como Negra Li e Wanessa. Parte dos cantores, como a dupla sertaneja Fernando e Sorocaba, passará por desafios diante das câmeras. Os dois terão de transformar um sucesso em uma versão rock, em parceria com Andreas Kisser, guitarrista do Sepultura.

O Rouge gravou quatro discos

Time. Rick Bonadio (*sentado*) divide as tarefas com profissionais de dança e música

até as integrantes se separarem. Bonadio desmente os rumores de que retomariam a banda. "Elas estão trabalhando muito. Uma faz teatro, outra mora na Europa. Mas a gente gravou duas músicas inéditas e elas deixaram uma mensagem para as partici-

pantes do *Fábrica de Estrelas*."

Ex-jurado do *Ídolos* (Record), o produtor reconhece que é difícil para artistas lançados em realities continuarem a carreira fora da TV. "A maioria dos programas não tem envolvimento com uma gravadora. Aqui, teremos

meu trabalho como empresário, vamos investir no show. A TV paga me dá tranquilidade porque não tem o desespero pela audiência, não tem de cortar a pessoa no meio da música. Estou em um canal de musical. A gente nunca não está desesperado."

ZEREI TUDO E DECIDI VOLTAR A FAZER O QUE ME DÁ PRAZER: GARIMPAR ARTISTAS NOVOS.

Capítulo 11

O MODELO DE NEGÓCIO QUE ADOTAMOS foi resultado de uma série de encheções de saco – estava empresariando artistas há muito tempo, cuidando de todo lado profissional e assumindo um lado psicólogo deles. A gota d'água veio com o caso do grupo Girls. Foi ali que decidi que queria mudar a empresa, pois eu precisava também de uma mudança pessoal. Zerei o negócio, basicamente para poder ficar livre, cortar essa relação de ser empresário e deixar de ser responsável por tudo na vida do artista.

Na real, tinha cansado da mesma história. Você trabalha junto com o artista e, se dá certo, o mérito é dele; se dá errado, a culpa é inevitavelmente minha. Sempre foi e sempre será assim. É o ônus e o bônus da função de produtor-empresário. E não é que o erro é dividido entre o cara e eu, ou entre os músicos e a equipe comigo. Não. Acabo como culpado por tudo que dá errado.

Dá para entender a dificuldade de um cara, que teve por tanto tempo o ego inflado por fãs, aceitar a bronca e reconhecer que errou, que fez uma música de merda ou que o mercado não esteja tão favorável ao que ele fez naquele momento.

Foi tipo um grito de basta: "Não, chega, cansei disso. Não quero mais." O Girls foi o ápice de tudo isso, porque tinha fã reclamando comigo: "Por que você acabou com o Girls?" Como assim, *eu* acabei com o Girls?

Nem que eu tivesse que voltar a produzir artista por artista, trabalhar um cara por ano, voltar a alugar o estúdio, qualquer coisa, eu só não queria mais ter a relação de ser responsável por tudo na vida dos artistas. E lidar com o ego dos caras. Até que demorei um bom tempo para dar esse basta.

A verdade é que tive um pensamento utópico, maluco e burro de que poderia mostrar os artistas como eles realmente eram em um reality show. Eles não querem isso. Nenhum artista quer que as pessoas saibam como eles realmente são. Isso reverteu negativamente para mim, como produtor, empresário e dono da gravadora. Eu falava para os caras: "Qual é o problema, velho, das pessoas assistirem como você é? Ninguém vai mostrar você fazendo a maior cagada do mundo." Uns toparam, só que quando os programas gravados no Midas foram ao ar, eles não gostaram e começou um atrito. O lugar que é como a minha segunda casa se tornou o lugar mais insuportável do mundo, pois os caras iam para internet ler o que estavam falando deles, e claro que o público sentava o pau.

Foi muita ingenuidade minha. Ainda mais com tantos anos de mercado. Percebi que o projeto que havia começado com uma ideia de fábrica de sonhos tinha se tornado o meu pesadelo.

Comecei a rabiscar o que havia prometido a partir do momento em que disse para a equipe que zeraríamos nosso negócio. Pensei: empresariar artistas é a parte que qualquer um pode fazer, porque basta pegar o cara, pagar, virar dono da carreira dele e pronto. Ou então descobrir um artista que dá certo e ficar com ele o resto da vida. Só que isso não funciona nem para mim nem para minha equipe – o que mais queremos é descobrir e trabalhar coisas novas.

Nesse ponto, já sabia o que não queria fazer, o que é um grande avanço em planejamento estratégico. O ponto seguinte foi pesar o que tinha de forças, vantagens, pontos mais fortes. Cheguei à conclusão de que eu era (ou poderia ser) uma gravadora. Ou melhor, uma via para transformar o cara que sonha em ter uma carreira em um artista de verdade.

No piano da minha mãe, aos 4 anos.

Uma mesa de som Samsui, um gravador Fostex de oito canais e um anúncio no *Primeira Mão* – começa minha carreira de produtor.

Meu segundo estúdio, tremenda conquista, já que aplicava tudo o que ganhava em equipamentos.

Sala 2 do Midas, em foto de 2016.

Meu tio Flávio. Se tem um culpado pela minha história na música, esse é o cara.

A loja de autopeças do meu pai, no Pari, onde trabalhei durante alguns anos.

Com minha mãe, Dona Maria.

Minha filha, Gabi, aos 4 anos.

Leo, aos 4 meses, pilotando uma mesa de som.

Surfando com meu filho, Leo.

Com a maturidade, aprendi a descarregar a tensão nos lugares certos (Gold's Gym, em Venice Beach, Califórnia).

A prática do tiro esportivo me ajudou a superar as mortes do meu pai e do meu irmão.

Tenho que manter a minha fama de mau.

Apollo foi batizado por culpa do Apollo Theater, teatro icônico do Harlem, em Nova York.

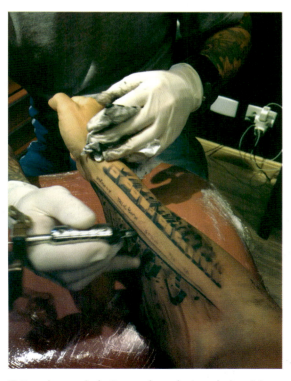
Tattoo: impossível não ser algo relacionado à música.

Produzindo os Titãs, melhor grupo de rock da história do país.

Com Paulo Miklos, dos Titãs, um cavalheiro com quem felizmente voltei a trabalhar, no *X Factor*.

Reuniões de trabalho e repertório com os Titãs.

Com o Charlie Brown Jr. no estúdio. Poucas bandas foram tão boas como eles ao vivo.

Tinha o Chorão e tinha o Alexandre, duas personalidades na mesma pessoa. Ambas fortes.

Edgard Scandurra (Ira!), Wally (CPM 22), Badauí (CPM 22), eu e Dinho Ouro Preto (Capital Inicial) no Prêmio Multishow, na Marina da Glória (RJ), em 2007.

Gravando o CPM 22, banda que deflagrou a onda hardcore no país.

No estúdio com o Tihuana, a tropa de elite.

Assinando com os gaúchos da Fresno, na Arsenal/Universal Music.

Assinatura de contrato com o NX Zero, depois de vê-los arrebentar no Hangar 110.

Trabalhar com a Luiza Possi, no início da carreira dela, é motivo de orgulho.

Com Tiaguinho e Fiuk no Midas, gravando o *Fábrica de Estrelas*.

Gravando com a Negra Li.

Com Juliana Silveira, a Floribella, gravando o fenômeno infantil.

Rouge e o começo das girls bands brasileiras.

As oito finalistas do primeiro *Popstars*.

Com Mr. Catra na gravação do DVD de 25 anos de carreira dele.

Pepê & Neném, uma das boas histórias de que a música está em todo lugar.

Luka, grande radialista e amiga.

Vinny, tá aí um cara legal.

Pose mais que eclética com Andreas Kisser (Sepultura), minha filha, Gabriela, e Fernando & Sorocaba.

No palco, com as finalistas do *Country Star*.

Gravando com Manu Gavassi.

Meu retorno aos palcos, com a banda Planta & Raiz, em gravação de DVD.

Um ícone da country music, Dolly Parton.

Cinco estatuetas do Grammy. Tenho muito orgulho disso.

Ninguém fala mais que o Lobão.

A legenda já está impressa na foto, surrupiada do Danilo Gentili.

O programa *Popstars* foi onde entendi de verdade o que era fazer e aparecer na TV.

Já havia consolidado uma imagem forte na televisão, na imprensa em geral, nas redes sociais e dentro do mercado da música. Assim, as pessoas já sabiam quem eu era, o que tinha feito e, principalmente, do que era capaz de fazer. Só faltava um ponto para fechar a conta: novos artistas.

Sempre tive na cabeça a convicção de que se tenho algum problema na música, duas coisas servem como ferramentas para superar qualquer coisa – repertório e artista bom. Se tenho um músico e canções boas, acabaram todos os problemas.

Comecei a fazer uma engenharia mental para viabilizar essa nova forma de negócio, criar uma espécie de gravadora diferente, onde teria que administrar as bandas e músicos na parte que realmente importava, sem toda a encheção que geralmente carregam junto. Teria que ser uma relação aberta, mas que eu me tornasse parceiro do negócio, seja do empresário, do artista independente ou da multinacional que estivesse por detrás da carreira dele.

O que esses caras que lançaram música só no YouTube e os independentes que colocaram a música online em um desses serviços de *streaming* mais precisam é de *know-how*, de pessoas mais experientes para fazerem a coisa da maneira certa e não ficarem dando tiro no escuro.

O que vi de gente tentando entrar no mercado, com investidor fazendo um milhão de coisas erradas e torrando desnecessariamente dinheiro em furadas, não está escrito. Gastam em música ou repertório errados, em estratégias burras e até em fotos equivocadas.

Tinha que formar uma nova equipe para dar conta desse novo negócio. Busquei gente que havia trabalhado comigo anteriormente, como a Suely Carvalho, que tinha sido minha gerente de produto na Virgin e que veio para ser gerente artística e de marketing. O Chico Silva, que também começou comigo na Virgin, o Marcinho Amadeu, ex-Sony Music e que se tornou gerente de TV. Conversei com as pessoas que fazem divulgação em rádio e televisão para mim, fui buscar todas as pessoas que sabia que eram competentes e legais, pessoas honestas, queridas. Porque quero trabalhar com gente legal. Juntei todas essas pessoas, conversei durante a semana com elas e todas gostaram da ideia do projeto. Assim nos tornamos a única "gravadora" com as portas completamente abertas no mundo.

Nós queremos ouvir gente nova. E damos retorno. Falamos para o cara: "Não está legal, procura a gente daqui a um ano, melhora isso, melhora aquilo." Os que já estão legais, a gente chama para conversar.

Geralmente a conversa começa comigo perguntando se ele tem empresário. E o cara fala: "Mas você não vai ser empresário?" Eu falo: "Não! Arruma um empresário, arruma um investidor, vamos ser parceiros." Eu cuido de toda a estrutura no estúdio e no lançamento. E o cara, quando entra, banca o que chamamos nas gravadoras de *inicial cost*, que é o investimento para um disco ou EP, videoclipe, foto e logotipo. Ele fica dono do fonograma, do videoclipe e das masters. Ele só licencia para mim e eu distribuo. Porque não posso ser dono de algo pelo qual não paguei 100%. É injusto. Também não quero dor de cabeça, então a propriedade fica para o artista e está tudo bem, acertando porcentagem na parceria. Geralmente são 20%.

O que eu tinha antes, com empresariamento de artistas com carreira estabelecida, estava dando bastante dinheiro. Mas aprendi que a gente tem que se desapegar dos ciclos e entender que as coisas acabaram, mesmo quando elas estão dando lucro. Não é a grana que determina o fim de um ciclo. Não pode ser.

O que determinou o final daquele ciclo é que eu precisava de artistas totalmente novos. Não quero nenhum desse que já estão consolidados, nem os que já estão no mercado com potencial. Queria trabalhar com gente nova, que ninguém nunca tinha ouvido falar.

Com isso tenho chance de, no futuro, daqui cinco ou dez anos, poder contar essa história de novo e falar: "Olha, dos artistas que estão hoje fazendo sucesso na música popular brasileira, vários deles passaram pela nossa mão, pelo nosso projeto, que eu posso chamar de gravadora do futuro."

A ideia empolgou toda a equipe. Começamos a receber material diferente de todo lugar do mundo. Só de demo tapes, músicas e vídeos, chegaram mais de 20 mil materiais de artistas novos. Começamos a filtrar os melhores e ligar para as pessoas.

A conversa é na lata: "Não quero ser seu empresário para tirar 30, 40% de seu lucro. Eu gravo você, a gente faz toda a primeira etapa e você me dá 20% do que fizer a partir do momento em que o nosso trabalho começar a surtir efeito. Se você tiver grana para investir, um investidor por trás, fazemos marketing também." E ponto.

Às vezes, o investidor é o empresário, às vezes é o pai e muitas vezes é o próprio artista. O que tem que bancar é o pacote inicial, disco, clipe e foto. Porque se você não tem esse produto formatado dessa forma e com qualidade para se destacar, você não tem o que trabalhar e fica de mãos atadas, esperando a sorte descobrir o talento do fulano.

Claro que tem que ter o repertório, a música boa, caso contrário pouco adianta bancar a imagem. Como conheço muitos compositores, se vier uma dupla sertaneja me procurar, arrumo música boa para os caras. Esse é um *networking* que trago como capital ao negócio.

Importante é colocar à disposição da banda ou músico o que há de melhor. O cara vai ter uma música legal, um som legal, clipe legal, foto legal, e se ele quiser continuar investindo depois de aparecer, eu o coloco na TV e na rádio. A ideia é fazer com que ele seja lançado para o mundo. Vai ser lançado no Itunes, no Spotify, no YouTube, em todos os lugares. Mas vai ser lançado da maneira certa. E com a chancela do Midas, uma gravadora que graças à nossa história abre muitas portas para o artista.

Depois de um tempo, percebi que o caminho era realmente esse quando começaram a surgir propostas. Pintaram multinacionais querendo se associar para que sejamos uma espécie de selo para filtrar o artista e repertório. Alguns, que trouxeram os próprios investidores, já estão fazendo sucesso.

A qualidade e a variedade dos artistas que temos hoje me impressiona, e mais uma vez parece que a sorte está nos ajudando. É muita gente boa!

O mais importante disso tudo: toda a equipe do Midas está feliz com o que estamos fazendo. Nós fazemos música, falamos de música, de artístico, e não nos aborrecemos mais com questão de venda de shows, de quanto custa isso ou aquilo. O artista só nos procura para criarmos juntos.

Quando ele entra no estúdio fazemos com que tire um puta som, que a música fique incrível. Caso contrário, deixa de fazer sentido. Fazemos isso sem pressa. Se um dia o cara não consegue cantar, mando ele de volta para casa, estudar mais e gravamos outro dia. Isso trouxe uma paz enorme para o ambiente, pois quando você é empresário do artista ele gruda no seu pescoço e começa: "Pô, briguei com minha mulher. O que faço?" Ah, não me meto nisso. "Fomos tocar em tal lugar e o som estava ruim." Então resolve isso com seu empresário. Não quero nem saber mais disso. Só falo do que posso controlar. A única coisa que eu quero saber é: Gravou o videoclipe? Se gravou, ficou do caralho? Se não ficou, a gente refaz até ficar bom.

Coaching de artista novo é o que mais fazemos. Porque tem gente que chega aqui travado, em nível inacreditável. Se virem o "antes" e o "depois" garanto que vão perceber que fazemos milagre. E estamos gravando muitos, muitos artistas. No primeiro ano gravamos mais de 20. É uma espécie de nova Motown, a mítica gravadora norte-americana que lançou de Supremes a Michael Jackson.

Sei na prática que dá resultado, pois começamos a fazer transmissões ao vivo pelo Facebook e, de cara, pelo assunto música e bandas novas, conseguimos mais que o dobro de gente, simultaneamente, do que os youtubers mais bombados. Teve transmissão que daria 2 pontos de Ibope se fosse na TV, com quase 120 mil pessoas, simultaneamente. Isto são dois estádios do Morumbi lotados de pessoas interessadas em música, seja querendo ser descobertas como artistas ou para descobrirem sons novos.

Faz todo sentido, pois essa fase começou numa madrugada, com a velha insônia habitual, na qual sentei em frente ao computador e escrevi um post no Facebook:

"Galera, precisamos de coisas novas no Brasil. O país está passando por uma grande renovação na cultura e especialmente na música. Em breve, teremos novos artistas e os que estão aí vão desaparecer. Vamos criar uma nova cena na música popular brasileira. Então, eu quero ouvir seu som. Mande sua música." Publiquei e fui para a cama para ver no que ia dar no dia seguinte.

COLETIVA DO PROGRAMA *X FACTOR*: QUANDO VOCÊ ACREDITA NO QUE FAZ, COISAS BOAS SEMPRE ACONTECEM!

Capítulo 12

NO EXATO MOMENTO EM QUE O LIVRO SEGUE para este capítulo final, o Brasil está no meio de uma crise como eu nunca tinha visto antes, o que afeta todos os mercados, inclusive o da música, já que não é um objeto primário de consumo. Eu (e todo mundo do meio) tenho todos os motivos para sentar e ficar lamentando o mar que não está para peixe. Mas se tem uma coisa que aprendi é que se a maré não está boa, não é hora de parar de remar. Pelo contrário. É hora de remar mais.

O sucesso acontece quando você está feliz e motivado, realizando coisas e acreditando naquilo que faz. Essa postura não pode mudar nunca. A energia da realização tem a ver com isso e, se o sentimento de perda e dúvida aparecem, esses, sim, podem atrapalhar tudo.

Segui fazendo o que acredito e firme nessa crença. Coisas boas sempre acontecem nesse estado e, não por acaso, recebi um convite da TV Bandeirantes. Eles queriam me convidar para ser jurado do *X Factor*, reality musical incrível, no qual eles apostam muito. No momento em que este livro deve estar sendo lançado, estarei no ar no programa.

Ou seja, se eu ficasse sentado esperando o tempo virar, provavelmente ainda estaria sentado esperando o tempo virar enquanto você lê isto. Foi o que falei em uma conversa com uma banda que estou trabalhando e na qual acredito muito, o Dnaipes.

O Gee Rocha (do NX Zero) e eu estamos produzindo o grupo, e ambos percebemos que eles estão ansiosos pelo momento da virada. Sabem que têm qualidade, disposição, todos os ingredientes para se consolidarem como um grupo de sucesso.

Nesses 30 anos, principalmente vivendo-os no Brasil, aprendi que todo trabalho artístico está sempre sujeito a uma situação de mercado. Independentemente do que o artista, seus produtores, empresários e gravadora façam, existe o fator de momento de mercado que pode influenciar no tempo dos resultados.

Isso é normal e sempre foi assim. Mas se você acredita no seu talento, se você tem uma equipe que coloca fé em você e faz um trabalho de qualidade, isso eleva o projeto a um estado a que vou chamar de "pronto para o sucesso". Esse estado (ou status) é um momento incrível na vida do artista e tem que ser aproveitado.

Naturalmente vão aparecer cobranças do tipo: "E aí, quando vocês vão estourar?" Essa pergunta geralmente vem de pessoas de fora da banda, mas ecoa nos próprios integrantes: "E aí, quando vamos fazer sucesso?"

Nesse momento é importante manter a consciência de que fazendo tudo com amor e respeito à música, o prazer e a felicidade da realização devem estar à frente de tudo, principalmente dessa tal preocupação com o sucesso. O sucesso nesse ponto não é o mais importante. Pois um dia ele vai chegar e será no momento mais apropriado. O sucesso não vem quando a gente quer, mas, se quisermos de verdade e acreditarmos, ele virá.

E se não vier?

Se não vier é porque não traria boas coisas. Nesse caso, eu acredito que o melhor sempre acontece para as pessoas do bem.

Vamos dar valor aos nossos trabalhos, estudar e melhorar no tempo que nos é dado. Vamos nos aprimorar, fazer amigos e nos ajudar. Vamos ter um objetivo e lutar por ele, mas sempre com alegria e alto astral.

A vida é uma eterna busca de muitas coisas e o sucesso é apenas uma delas.

Eu vivo correndo atrás do sucesso, já acertei muito e errei muito e hoje aprendi que o processo é o que me faz feliz. Talvez o momento exatamente anterior ao sucesso seja mais legal do que o instante em que ele acontece.

Vamos fazer música e vivermos felizes com isso.

A gente sabe que na música a gente é mais feliz do que em qualquer outra coisa.

Minha Playlist

MINHA FORMAÇÃO COMO PRODUTOR é influenciada por uma série de músicas que ouvi ao longo dos anos. Por isso montei uma lista de canções (foi bem difícil de fechá-la, principalmente porque não quis repetir artistas) que foram marcantes e que me ajudaram a elaborar uma maneira de trabalhar, que carrego até hoje.

Fica a sugestão como referência para quem está pensando em ser produtor e também para quem quiser apenas ouvir um pouco da história da boa música.

Essa lista você pode ouvir no Spotify, no meu perfil RICK BONADIO. Aqui segue em ordem alfabética, por artista.

"California Love" • 2Pac
"Back in Black" • AC/DC
"Tiro ao Álvaro" • Adoniran Barbosa
"Man in the Box" • Alice in Chains
"Tocando em Frente" • Almir Sater e Renato Teixeira
"Private Idaho" • The B-52s
"Iron Man" • Black Sabbath
"No Sleep Till Brooklyn" • The Beastie Boys
"Eleanor Rigby" • The Beatles
"Medo de Avião" • Belchior
"Summertime" • Billie Holiday
"They Can't Take That Away From Me" • Billie Holiday
"Você Não Soube me Amar" • Blitz
"L-O-V-E-U" • Brass Construction
"Dazz" • Brick
"On a Day Like Today" • Bryan Adams
"Running Thangs" • Busy Bee
"Sampa" • Caetano Veloso
"Atrevete-te-te" • Calle 13

"As Rosas Não Falam" • Cartola
"Geni e o Zepelim" • Chico Buarque
"Should I Stay or Should I Go" • The Clash
"Asas da Vingança" • Cólera
"Killing an Arab" • The Cure
"How I Could Just Kill a Man" • Cypress Hill
"Get Lucky" • Daft Punk
"I Can't Go For That" • Daryl Hall & John Oates
"One for the Treble" • Davy DMX
"California Uber Alles" • Dead Kennedys
"Trem das Onze" • Demônios da Garoa
"Smoke on the Water" • Deep Purple
"Strangelove" • Depeche Mode
"Peek-a-Boo" • Devo
"Doowutchyalike" • Digital Underground
"Money For Nothing" • Dire Straits
"Long Time Gone" • Dixie Chicks
"Parents Just Don't Understand" • DJ Jazzy Jeff & The Fresh Prince
"A View to a Kill" • Duran Duran
"Devotion" • Earth, Wind & Fire
"Boyz-N-The-Hood" • Eazy-E
"Casa no Campo" • Elis Regina
"My Name is" • Eminem
"Telegrama" • Exaltasamba
"Der Kommissar" • Falco
"Learn to Fly" • Foo Fighters
"Étude N° 3 in E Major" • Frederic Chopin
"Step Off" • The Furious Five
"Oops Upside Your Head" • The Gap Band
"Atomic Dog" • George Clinton
"Reach For It" • George Duke
"Punk da Periferia" • Gilberto Gil
"Slave to the Rhythm" • Grace Jones

"Step Off" • Grandmaster Flash
"Jesus of Suburbia" • Green Day
"The Overweight Lovers in the House" • Heavy D & The Boyz
"Rockit" • Herbie Hancock
"Don't You Want Me" • Human League
"No Vaseline" • Ice Cube
"Colors" • Ice T
"Envelheço na Cidade" • Ira!
"The Payback" • James Brown
"Filho Maravilha" • Jorge Ben
"Concrete and Clay" • Jurassic 5
"That's the Way (I Like It)" • K.C. & The Sunshine Band
"Swimming Pools" • Kendrick Lamar
"Act a Fool" • King Tee
"Jungle Boogie" • Kool & The Gang
"Go See the Doctor" • Kool Moe Dee
"Aj Scratch" • Kurtis Blow
"Índios" • Legião Urbana
"I'm Bad" • LL Cool J
"Black Dog" • Led Zeppelin
"Always on the Run" • Lenny Kravitz
"Someone Like You" • Living Colour
"Como Uma Onda" • Lulu Santos
"Walking After Midnight" • Madeleine Peyroux
"Buffalo Gals" • Malcolm McLaren
"Bem que se Quis" • Marisa Monte
"Simple Simon" • Mantronix
"Tear Drop" • Massive Attack
"It's a Mistake" • Men at Work
"Billie Jean" • Michael Jackson
"Estrada da Vida" • Milionário e José Rico
"Girl You Know It's True" • Milli Vanilli
"Amigo" • Milton Nascimento

"Balada do Louco" • Os Mutantes
"Blue Monday" • New Order
"Sunrise" • Norah Jones
"Don't Miss You at All" • Norah Jones
"I Can Wait" • Nu Shooz
"Fuck Tha Police" • N.W.A.
"Fire" • Ohio Players
"Pull Fancy Dancer" • One Way
"Cowboys From Hell" • Pantera
"Vital e Sua Moto" • Os Paralamas do Sucesso
"Flashlight" • Parliament
"Sozinho" • Peninha
"Sledgehammer" • Peter Gabriel
"Every Breath You Take" • The Police
"Mantenha o Respeito" • Planet Hemp
"Rebel Without a Pause" • Public Enemy
"Bohemian Rhapsody" • Queen
"Killing in the Name" • Rage Against the Machine
"Eu Quero Ver o Oco" • Raimundos
"El Condor Pasa" • Raul Olarte
"Metamorfose Ambulante" • Raul Seixas
"Give it Away" • Red Hot Chili Peppers
"Super Freak" • Rick James
"Lança Perfume" • Rita Lee
"It Takes Two" • Rob Base & DJ E-Z Rock
"Curvas da Estrada de Santos" • Roberto Carlos
"It's Only Rock and Roll (But I Like it)" • The Rolling Stones
"King of Rock"• Run D.M.C.
"Tell Me If You Still Care" • S.O.S. Band
"Smooth Operator" • Sade
"Kiss From a Rose" • Seal
"Sangue Latino" • Secos & Molhados
"Menino da Porteira" • Sergio Reis

"Don't You (Forget About Me)" • Simple Minds
"Ladi dadi" • Slick Rick
"Who Am I (What's My Name)?" • Snoop Dogg
"Superstition" • Stevie Wonder
"Englishman in New York" • Sting
"8th Wonder" • The Sugarhill Gang
"Everybody Wants to Rule the World" • Tears for Fears
"Pump Up the Jam" • Technotronic
"Descobridor dos 7 Mares" • Tim Maia
"Bichos Escrotos" • Titãs
"Genius of Love" • Tom Tom Club
"Chico Mineiro" • Tonico e Tinoco
"Baby Can I Hold You" • Tracy Chapman
"Can I Kick It?" • A Tribe Called Quest
"New Year's Day" • U2
"Inútil" • Ultraje a Rigor
"Regulate" • Warren G
"Five Minutes of Funk" • Whodini
"Principal's Office" • Young MC
"More Bounce to the Ounce" • Zapp

Conheça outros títulos da editora em:
www.editoraseoman.com.br